LA DESCOBERTA DEL DRET ROMÀ
A L'OCCIDENT MEDIEVAL

~

THE DISCOVERY OF ROMAN LAW
IN THE MEDIEVAL WEST

Lliçons / Lessons, 5

La descoberta del dret romà a l'Occident medieval

~

The Discovery of Roman Law in the Medieval West

Max Turull Rubinat

Universitat de Barcelona

Publicacions i Edicions

Universitat de Barcelona. Dades catalogràfiques

Turull i Rubinat, Max
   La descoberta del dret romà a l'Occident medieval. –
(Lliçons ; 5)

   Títol paral·lel en anglès
   Basat en una conferència pronunciada per l'autor a la
   Universitat de Barcelona l'octubre de 2010, com a acte
   d'inauguració de la corresponent edició del Màster
   Universitari en Cultures Medievals
   Text en català i anglès
   ISBN 978-84-475-3775-4

   I. Títol   II. Col·lecció: Lliçons ; 5
   1. Dret romà   2. S. XI   3. Europa

© Publicacions i Edicions de la Universitat de Barcelona
   Adolf Florensa, s/n
   08028 Barcelona
   Tel. 934 035 430
   Fax: 934 035 531
   www.publicacions.ub.edu
   comercial.edicions@ub.edu

DISSENY DE LA COL·LECCIÓ	Marta Serrano
DIRECTOR DE LA COL·LECCIÓ	Carles Mancho, director de l'IRCVM
ISBN	978-84-475-3775-4
DIPÒSIT LEGAL	B-2.069-2014
IMPRESSIÓ I RELLIGAT	Gráficas Rey

ÍNDEX

LA DESCOBERTA DEL DRET ROMÀ A L'OCCIDENT MEDIEVAL

Aquest text és la reelaboració d'una conferència pronunciada a la Universitat de Barcelona l'octubre de 2010 com a acte d'inauguració de l'edició corresponent del Màster Universitari en Cultures Medievals. El text ha estat especialment pensat per a professionals de la història, la filosofia, la llengua, la literatura, l'economia, l'art i les altres disciplines que tenen el món medieval com a objecte d'estudi, per a estudiants de màster en humanitats i també per a estudiants dels primers cursos del grau de Dret. L'autor està en deute intel·lectual amb el professor Aquilino Iglesia, de qui beuen un important nombre d'idees les pàgines que seguiran.

És una evidència majoritàriament admesa per tots que a penes hi ha contacte i comunicació entre els historiadors del dret i els mal anomenats historiadors generalistes, en aquest cas medievalistes. Com si tots no féssim història, al capdavall. Crec en una història total i en una història que només fragmentem per poder-la estudiar millor. Ha passat, però, que aquests fragments de la història, que només havien de ser funcionals, s'han convertit gairebé en subhistòries que es troben en compartiments estancs dins del món acadèmic. Però Berenguer Ripoll, que habitava a Cervera el 1332, no vivia aïlladament en el dret, l'economia, l'art, la cultura, etc. Hem fragmentat artificialment la complexa unitat de la societat, i aquesta partició ha donat lloc a vides completament independents. No podem comprendre la societat medieval només des d'aproximacions fragmentàries incomunicades. Ho hem de conèixer tot per entendre aquesta societat. Ens pot semblar que entenem, separadament, el dret medieval, o la seva filosofia, o l'art, però ho necessitem tot per entendre-ho amb precisió. I és que només cal pensar en l'ésser humà del segle XXI. Algú creu que es pot entendre la societat actual només des d'una aproximació? Oi que resulta evident que sense comprendre l'economia, el dret, la cultura, la història, les institucions i el pensament és absolutament impossible aproximar-se a la «veritat»? I no estic pas postulant que tots els professionals ho haguem de fer tot i que això es converteixi en una gran «olla barrejada». Només vull insistir que ens hem de llegir, hem de parlar i fins i tot hem d'investigar plegats —com l'IRCVM intenta que fem.

El cas és que un estudiant d'humanitats —d'història, de filosofia, d'història de l'art, de llengua, etc.— es graduarà, o fins i tot acabarà els estudis de màster, sense tenir el més petit coneixement del dret en les èpoques en què se suposa que és especialista. No parlo pas de conèixer el dret «des de dins» —com es regulava el dot l'any 1000—, sinó de les mínimes nocions del paper del dret en cada època, de qui i com es creava el dret en cada moment històric i quina va ser la noció de dret al llarg de la història.

El tema que he escollit per a la conferència inaugural del curs 2010-2011 del Màster Universitari en Cultures Medievals és el del descobriment del dret romà-justinianeu al segle XI a Occident i la seva difusió, juntament amb el dret canònic i l'obra dels juristes bolonyesos, per tot Europa sota el nom de *ius commune*. He triat aquest tema per diversos motius. Primer, perquè és un exemple molt clar d'allò que explicava Pierre Vilar: en la història, les causes i les conseqüències es barregen, s'interfereixen i es retroalimenten. Un determinat fenomen, com ara la descoberta bolonyesa a la qual ens referirem, és el fruit i el resultat d'un seguit de factors causals. Però el fruit i la conseqüència d'aquests factors es converteixen automàticament, al seu torn, en factor causal de nous fenòmens històrics. És pur materialisme dialèctic, i és imprescindible tenir-ho present per comprendre la complexitat de les societats històriques. La descoberta del dret romà només es pot entendre en aquell context històric precís. Per tant, no són vàlides aproximacions dogmàtiques respecte de la història del dret romà a l'època medieval, i només valen —si el que pretenem és comprendre què va passar, com i per què— aproximacions històriques. Però el que és igualment rellevant és l'autèntic impacte que aquest episodi històric va tenir per a les societats que el van seguir. I aquest és, de fet, el segon motiu que em va impulsar a escollir aquest tema. La formació del *ius commune* i la seva recepció per tot Europa van ser molt més que un fenomen estrictament jurídic; van suposar un veritable canvi cultural l'ona expansiva del qual es va sentir en tots els àmbits de la societat medieval. I, com acabo de dir, encara em deixa una mica perplex comprovar que això no és ensenyat a les facultats d'història ni a penes ha travessat els manuals d'història medieval, tant a casa nostra com a la casa comuna europea. Comprendreu que no estic pas culpant els historiadors de tot això que explico; en tot cas, els historiadors del dret no en seríem menys culpables. No; és més aviat la desviació academicista i el sistema universitari encarcarat el que ha conduït a aquest aïllament artificial.

LA TRADICIÓ JURÍDICA ROMANA OCCIDENTAL

Per comprendre l'abast del *ius commune* medieval, és convenient retrocedir uns quants segles per veure, molt succintament, la formació de la tradició jurídica romana i el context històric —econòmic, social, cultural— en el qual va tenir lloc el naixement del *ius commune* medieval, per tal de valorar-ne amb més nitidesa la rellevància.

Durant l'època del Dominat romà —o Imperi— es va produir la divisió de l'imperi en dues parts. En un primer període la divisió en dos imperis i la divisió administrativa conseqüent podien ser enteses com una mena de descentralització. Però la creació de la nova capital oriental, Constantinoble —l'any 330 per part de l'emperador Constantí—, com una nova Roma, va evidenciar i va emfasitzar les grans diferències que hi havia entre totes dues parts. La divisió de l'imperi va reposar sempre sobre la base, fictícia a partir de cert moment, que tot l'imperi vivia amb un mateix dret.

Fruit d'un procés històric que ja apuntava des del final del Principat, l'ordenament jurídic romà del Dominat havia estat simplificat en dos grans elements. D'una banda, hi havia les *leges*, que expressaven la voluntat de l'emperador, essencialment per mitjà dels diferents tipus de constitucions imperials. Les *leges* vigents van acabar sent compilades en el Codi Teodosià. Aquesta obra, la iniciativa de la qual va partir de Teodosi II, emperador d'Orient, contenia, sobretot, constitucions generals posteriors a l'any 312. Va ser publicada per a l'imperi oriental el 438 i, a continuació, va ser adoptada per Valentinià III per a l'imperi occidental. El Codi Teodosià va donar validesa oficial a dos reculls fins aleshores privats, el Codi Gregorià i el Codi Hermogenià. Rebien el nom de sengles juristes que havien realitzat ambdues compilacions de rescriptes, o sigui, un altre tipus de constitució imperial. Així, mentre que el codi de Teodosi contenia constitucions generals, els de Gregorià i Hermogenià contenien respostes dels emperadors a consultes dels ciutadans particulars. A banda, doncs, de les constitucions que foren dictades després del 438 —les novel·les post-teodosianes—, les *leges* estaven contingudes en els esmentats tres codis.

D'altra banda, el segon element que conformava l'ordenament jurídic romà, al costat de les *leges*, eren els anomenats *iura*. A diferència de les *leges*, creades per l'emperador, els *iura* eren els escrits dels juristes que reelaboraven o reescrivien la tradició clàssica. O, dit a la inversa, els *iura* consistien en la tradició jurídica clàssica —sobretot el dret del període de la República— reelaborada pels juristes del Principat. En tot cas, identifiquem els *iura* a l'època del Dominat com la literatura jurídica que conté els grans principis del dret clàssic. Els *iura* no havien estat objecte de cap compilació oficial, sinó que es trobaven en reculls particulars. Davant de la multitud immensa d'autors, es plantejava un problema pràctic d'aplicació: tots eren vàlids? Tots tenien el mateix valor oficial? Una constitució imperial dictada per Valentinià III l'any 429, coneguda com la «llei de citacions» o «tribunal dels morts», resolia el tema de l'aplicació i establia quins *iura* eren invocables i en quines condicions. No es tractava, per tant, de cap compilació, sinó d'una constitució imperial que determinava els criteris de validesa i d'aplicació.

Per tant, al final del segle v, quan desaparegué l'imperi d'Occident, l'ordenament jurídic estava format per *leges* i *iura*, i els textos jurídics que els contenien eren el Codi Teodosià, el Codi Gregorià, el Codi Hermogenià i els diferents reculls de *iura* que van circular a l'època. Aquest era el dret vigent i aplicable, a més de les constitucions imperials que creaven dia a dia els emperadors a les dues parts de l'imperi.

El desenvolupament autònom de la tradició jurídica romana pels visigots

A partir de l'any 476, amb la desaparició de l'imperi romà d'Occident, la trajectòria del dret romà —tant l'herència jurídica romana (intangible, per entendre'ns) com la tradició textual (el dret en els seus textos concrets)— es bifurca i se separa gradualment. D'una banda, tindrem la història de la continuïtat imperial romana a Bizanci i, de l'altra, l'evolució històrica, i jurídica, que és el que ens interessa, de l'antic solar romà occidental.

Efectivament, l'expressió «desenvolupament autònom de la tradició jurídica romana a la península Ibèrica durant el regne visigot», que manllevem d'Aquilino Iglesia Ferreirós, il·lustra clarament l'orientació d'aquest període.

A l'antiga Hispània, hi van acabar fundant el seu regne els visigots. Fins al 506 mantenien els seus dominis a la regió d'Aquitània, però després de la derrota en la batalla de Vouillé, contra els francs, el regne visigot va passar a tenir la capital a Toledo, sense abandonar els seus dominis a la Septimània. Els visigots eren un poble intensament romanitzat, perquè des del segle III vivien en contacte amb població romanitzada de la Dàcia i posteriorment de Tràcia i Mèsia, fins que es van establir a la regió de l'*Aquitania Secunda* en virtut del *foedus* del 418. Va ser un rei visigot, Alaric II, el que vers l'any 506 va manar fer una compilació d'aquell dret romà que ells consideraven útil i vigent. Aquesta obra, que forma part de la tradició textual romana en la mesura que conté, ras i curt, dret romà, va ser coneguda amb el nom de *Lex Romana Wisigothorum* o Breviari d'Alaric i era un recull de dret romà del Dominat. Entre les *leges*, contenia una àmplia selecció de constitucions imperials provinents del Codi Teodosià i uns quants rescriptes dels codis Gregorià i Hermogenià; entre els *iura*, hi trobem una sola resposta de Papinià, una selecció de sentències de Pau, un epítom de les Institucions de Gai i res d'Ulpià ni de Modestí. Per tant, al Breviari d'Alaric s'havia produït una reducció dràstica dels *iura* seleccionats. I és que, certament, els compiladors van prescindir del dret que o bé no comprenien o bé no necessitaven, i els *iura* eren, precisament, l'element més tècnic, més complex i més ric del dret romà. Les constitucions, per contra, sobretot les del Dominat, eren materials més pobres quant a tècnica i doctrina jurídica. Aquesta selecció de *leges* i *iura* anava acompanyada, en gairebé tots els casos, d'una *interpretatio* que ajudava a comprendre els textos jurídics romans i a ajustar així el dret romà a les necessitats de l'època. El Breviari d'Alaric era dret romà —compilat per un rei visigot, però dret romà al cap i a la fi— i va conviure amb el dret visigot —romanitzat o harmoniós amb la tradició romana— que anaven creant els monarques visigots.

Aquesta doble via dins del regne visigot —dret oficial romà cristal·litzat i dret de la pràctica creat de nou pels reis— va durar fins l'any 654, quan Recesvint va aprovar una obra nova, el *Liber iudiciorum*. Amb el *Liber* s'acabava aquesta dicotomia, ja que a partir d'aleshores només seria aplicable el dret contingut en aquesta obra i el que en endavant havia de crear el rei visigot. El *Liber* és l'exemple més clar del «desenvolupament autònom de l'herència jurídica romana que havien rebut els visigots», enunciat, aquest, que concentra tota una tesi historicojurídica. Convé centrar-se un moment en aquesta obra perquè va ser utilitzada a Catalunya durant molts segles. El *Liber* és dret visigot —perquè fou fet pel monarca visigot—, però forma part de la tradició jurídica romana (no pas de la tradició textual, perquè literalment o textualment no és dret romà ni en conté fragments); el *Liber* du el dret romà en els seus «cromosomes» i pertany a la família del dret romà. Formalment, Recesvint va recollir lleis del mateix Breviari d'Alaric i d'altres reculls anteriors de lleis de reis visigots, com el Codi d'Euric i el *Codex Revisus*, però també hi va afegir lleis noves que havien dictat el seu pare Quindasvint i ell mateix. El *Liber* prohibia el recurs als textos jurídics romans, o sigui, al Breviari d'Alaric, però ell mateix estava impregnat de tradició romana. Va arribar un moment, al final del període visigot, en què el procés de prefeudalització que vivia la societat va provocar un divorci entre el dret legislat —contingut al *Liber*— i el dret de la pràctica —que reflectia els nous usos i costums d'aquella nova societat—. En tot cas, però, el *Liber iudiciorum* va ser el monument jurídic que el regne visigot va llegar a l'alta edat mitjana peninsular.

La pervivència del «Liber» visigot i l'augustinisme polític medieval

Quan els musulmans van envair la península Ibèrica l'any 711 i van posar fi al regne visigot de Toledo, el *Liber* va perviure arrelat en la conducta dels cristians peninsulars altomedievals, no només com a llibre de lleis, sinó com la llei per antonomàsia, sense ser conscients, ni tan sols, que les pràctiques jurídiques que ells vivien amb total normalitat eren un exemple de la «norma actuada». La concepció musulmana del dret va facilitar aquesta pervivència, ja que per als musulmans dret i religió eren, i són, no pas quelcom indissociable, sinó una sola i la mateixa categoria. I, respectant la creença religiosa dels cristians monoteistes, automàticament també garantien la pervivència del seu dret.

Aquesta continuïtat altomedieval del *Liber*, no obstant això, es produïa en unes condicions especials: el *Liber* perdurava, com hem dit, en la conducta de les persones, però el *Liber*, a més, era el dret per antonomàsia en una societat convençuda que no hi havia «creació» del dret, sinó descobriment d'un antic dret que havia estat ocultat temporalment per males pràctiques, per abusos. La concepció altomedieval del dret el considerava diví, antic i bo. I el *Liber*, que en l'època visigoda havia estat confirmat pels concilis de Toledo i que posteriorment s'havia anat sacralitzant en la memòria col·lectiva dels habitants dels nous regnes cristians, encaixava amb els paràmetres altomedievals del dret. Al costat del *Liber* —*Liber* costum—, com a dret general i comú dels cristians peninsulars altomedievals, nasqueren els drets particulars, senyorials i municipals, propis i especials de cada centre de convivència. I en ple context feudal, els reis, que sovint es confonien amb membres de l'alta noblesa, eren incapaços de crear un dret reial general per a tot el regne.

El pensament polític medieval —l'augustinisme polític—, que durant aquest període es confon amb el pensament jurídic, havia arribat a un punt, amb Carlemany, en què els objectius de la societat política i els de l'Església s'havien confós totalment. Segles abans, Agustí d'Hipona (segle IV), quan encara existia l'imperi romà i aquest representava una realitat abassegadora, havia afirmat que el veritable i autèntic món era el sobrenatural, i que el món terrenal o temporal hi estava sotmès. Després, el papa Gelasi va plantejar que al món hi havia dos grans poders, el del pontífex, investit d'*auctoritas*, i el de l'emperador, amb *potestas*; però no eren pas dos poders simètrics o equivalents, ja que el papa, a diferència de l'emperador, havia de retre comptes directament a Déu. En la mateixa línia, Isidor de Sevilla explicava el caràcter ministerial de què estava revestit el poder dels reis, ja que entenia que el poder que exercien els monarques no tenia naturalesa política, sinó divina; la seva funció no era altra que conduir els homes al bé i apartar-los del mal, i els reis, fent aquesta funció, eren simples ministres de Déu, instruments seus i no pas servidors de qualsevol altre anhel. La virulència de la lluita de les investidures al segle XI entre el papa Gregori VII i l'emperador germànic Enric IV no ha d'amagar el consens existent entre l'origen diví del dret i el sotmetiment del món terrenal al sobrenatural.

Si ens traslladem a una altra dimensió de la societat medieval, els medievalistes ens poden explicar millor que ningú com i per què el poder polític havia esclatat en mil bocins i la societat política s'havia atomitzat. El centre de gravetat ja no era el regne, sinó el territori més immediat: els llogarets, les viles i les ciutats. I la creació del dret, ultra la concepció altomedieval que se'n tenia, basada en la creença en un dret diví, reflectia aquesta societat atomitzada.

Quan el dret altomedieval era gairebé en la seva totalitat un dret consuetudinari, ¿què en quedava, de l'antic dret romà, que era just el contrari, un dret tècnic, escrit, complex, de substancial base legal? Certament, a penes en quedava res. Si el *Liber* fou l'últim reflex visigot del dret romà, ara aquest *Liber* s'havia anat degradant —no pas en sentit moral, sinó «genètic»— o s'havia anat desenvolupant en una direcció cada vegada més allunyada de l'epicentre romà d'on procedia. I això no ha d'estranyar. La societat, i el seu dret, ja no eren els mateixos: de l'esclavisme al feudalisme, de la societat pagana a la *Res publica Christiana*, d'una societat urbana i cosmopolita a una altra de tancada i rural.

Per tant, la restauració de l'imperi romà duta a terme per Carlemany no va tenir cap efecte en el dret, o si més no en l'antic dret romà. Va tenir efectes, això sí, dins del món escolàstic, i això ens dóna peu a referir-nos a l'ensenyament del dret durant l'alta edat mitjana.

EL DRET ROMÀ I L'ESTUDI DEL DRET
A L'ALTA EDAT MITJANA

No m'estendré a parlar del *trivium*, el *quadrivium*, la filosofia i la teologia, ja que ara tan sols ens interessa assenyalar que, des de la caiguda de Roma, durant aquest període no van existir a Occident escoles jurídiques ni un estudi autònom del dret. Dins del *trivium* s'explicaven nocions de dret, en part dins de la retòrica i en part dins de la lògica i la dialèctica. Però quin dret s'estudiava? Hem de descartar que fos el dret consuetudinari, el propi de cada lloc, ja que per la seva naturalesa intrínseca no era un dret sistematitzable ni a penes «estudiable». L'únic dret susceptible de ser estudiat en aquells moments era el dret romà. Però, una vegada més, quin dret romà? El dret romà altomedieval és el dret romà contingut dins del Breviari d'Alaric —o en els epítoms que en van circular per mig Europa—. Recordem que es tracta de dret romàteodosià, que és dret romà prejustinianeu, però sobretot recordem que el Breviari no recollia tota la tradició textual romana del Dominat —*leges* i *iura*—, sinó tan sols una selecció, aquella que s'adaptava millor a les necessitats de l'època (vers l'any 506). I recordem que, a banda de fer una tria de constitucions, sobretot van ser incorporats molt pocs *iura* dins del Breviari. En fi, el dret romà-teodosià que va ser conegut a Occident representava una tradició molt pobra i reduïda.

Però, a part d'aquest dret romà d'arrel diguem-ne occidental o teodosiana, que va sobreviure, alterat i en precari, durant l'alta edat mitjana occidental, l'imperi oriental seguia viu i en ple apogeu. Per tant, el dret romà vigent i aplicable a Bizanci podia ser conegut, com efectivament va ser-ho, a Occident.

I és que, certament, ara convé assenyalar l'entrada en escena d'un nou personatge, un nou actor. Durant la primera meitat del segle vi, l'emperador bizantí Justinià va realitzar una gran compilació del dret romà vigent aleshores a l'imperi oriental. És sabut que l'any 554 la compilació de Justinià va ser enviada a Roma, i això en un context en què la meitat sud de la penínsu- la Itàlica formava part de l'imperi bizantí. També hi ha testimonis que el Codi, les Institucions i les Novel- les de Justinià van circular molt compendiats —i no, doncs, en els textos originals— per Occident. ¿I què va passar amb el Digest, que de fet era el tresor màxim del dret romà de l'època? L'última menció que en te- nim a Occident és en una carta del papa Gregori el

Gran l'any 603, i no se'l torna a mencionar fins l'any 1076, en un document judicial llombard.

Per tant, durant l'alta edat mitjana occidental, ni es va estudiar el dret de manera autònoma ni els textos de dret romà-justinianeu van ser coneguts en documents originals. La manca d'estudi autònom i la de textos originals són les dues característiques de l'estudi del dret des del 476 fins al segle XI, quan neix l'escola de Bolonya.

EL RENAIXEMENT JURÍDIC BOLONYÈS DEL SEGLE XI

És innecessari explicar als medievalistes el renaixement econòmic i cultural que es va viure a Europa vers l'any 1000. Però, per al que ara ens interessa, ens fixarem en el descobriment o la recuperació dels textos de Justinià a Bolonya a cavall dels segles XI i XII. El fet, essencialment, és aquest que acabem d'anunciar: que a partir d'un cert moment es presta atenció als textos justinianeus. Feia gairebé mig mil·lenni que Justinià havia compilat el Digest, el Codi, les Institucions i les Novel·les. ¿I per què precisament aleshores, al final del segle XI, Occident descobria el Digest i la resta dels textos?

Diguem que després de l'any 1000 es va crear un «clima» afavoridor d'aquesta descoberta. Descoberta o recuperació que s'esdevingué en un doble vessant, tant material com intel·lectual: Europa va descobrir uns nous llibres i alhora els va saber llegir amb una nova mirada. En la conformació d'aquest nou clima van intervenir diferents factors. És un d'aquells moments històrics fascinants en què dret i canvi històric —social, econòmic, cultural, etc.— experimenten una simbiosi profunda i extraordinària, com veurem. Recordo que Robert S. López, a *El nacimiento de Europa* (1965), dibuixava magníficament aquell «instant» i aquell clima. En primer lloc, la reactivació econòmica en general, vinculada, segons sembla, a un llarg període de bones collites i a un increment demogràfic, i la reactivació comercial en particular, amb les conseqüències socials que va comportar —l'emergència de la burgesia—, van fer que la societat tingués noves necessitats jurídiques —com les derivades del nou tràfic mercantil, per exemple—, que no eren resoltes satisfactòriament pel dret senyorial consuetudinari existent. En segon lloc, les ciutats eren capaces de generar i mantenir personatges la vida dels quals girava entorn de l'amor a la ciència i l'ànsia de saber, personatges amb interessos purament científics. Menys prosaics van ser els factors polítics: en plena lluita de les investidures entre el papa i l'emperador, la nova munició teòrica i jurídica era molt benvinguda per tots dos bàndols. Alguns historiadors del dret han insistit en aquesta coincidència: no devien ser casuals l'interès de l'emperador a justificar la seva posició i el redescobriment d'un dret, el romà, que tractava l'emperador com a amo del món —*Dominus*— i únic creador del dret. Finalment, en aquella època també hi havia el convenciment que a un imperi li corresponia un únic dret i, doncs, que l'antic dret romà era el dret propi i natural de l'imperi, ara sacre i germànic.

Si el que acabem d'assenyalar degué conformar el nou clima que va fer possible, o va motivar, el renaixement jurídic bolonyès, en canvi no sabem amb certesa en quines condicions exactes va ser fundada l'escola de Bolonya. D'Odofred ens ha arribat la llegenda —però que barreja elements versemblants— de la *translatio studii*, que explica que l'estudi de Bolonya va ser l'hereu del de Ravenna, que al seu torn recollia el testimoni de Roma. Per tant, es volia transmetre la idea que l'estudi de Bolonya procedia, en última instància, de l'estudi imperial romà.

La clau, en tot cas, fou l'arribada a Bolonya dels llibres jurídics compilats per Justinià al segle VI. Aquests llibres, però, no van arribar tots junts ni en el mateix moment, sinó que, com assenyalava Odofred al segle XIII, van arribar literalment a trossos i en moments successius.

Pepo i Irneri es disputen la fama de ser els primers a estudiar, pel seu compte i per iniciativa pròpia, aquests textos. Sembla que Pepo fou el primer a fer-ho, però no en va deixar cap constància escrita, mentre que Irneri va ser l'autor de la primera glossa als textos justinianeus, i això fou el que li va donar renom. Pepo i Irneri encarnen un moviment de professors autodidactes que espontàniament van començar a ensenyar i estudiar els nous textos i van arrossegar-hi estudiants de tot Europa.

L'ESCOLA DE BOLONYA: DRET ROMÀ, DRET FEUDAL I DRET CANÒNIC

L'especificitat d'aquesta «escola de Bolonya» va ser doble, i això és el que n'explica l'èxit aclaparador: van estudiar i explicar el dret de manera autònoma —dret i només dret— i ho van fer amb els textos (justinianeus) originals, i no amb epítoms i fragments com fins aleshores s'havia fet. Malgrat tot, hi havia algunes diferències entre la compilació feta per Justinià a Bizanci al segle VI i la compilació que fou rebuda a Bolonya entre el segle XI i el XII. En primer lloc, era diferent l'estructura. Justinià va fer quatre obres (Codi, Digest, Institucions i Novel·les), i, en canvi, a Bolonya la compilació va tenir cinc llibres: el Digest vell —que fou el primer bocí del Digest que va arribar a Bolonya—, el Digest nou —que va ser la part que hi va arribar més tard—, l'Infortiat —que era un quadernet de la part central del Digest que hi va arribar solta—, el Codi —però no tots dotze llibres originals, sinó només els nou primers— i, finalment, van compondre un cinquè llibre, anomenat *Volumen*, o *Volumen Parvum*, o *Volumen Authenticum*, que, com un calaix de sastre, aplegava les Institucions, els tres llibres restants del Codi, les Novel·les, els *Libri Feudorum* i les *Extravagantes*, que després explicarem què eren.

A banda de l'estructura de la compilació, també era diferent el text. Ara n'hi ha prou d'assenyalar que la tradició textual del Digest, que ha pogut ser reconstruïda, és rica i complexa. Al Digest medieval —la *littera bononiensis* o *vulgata*—, hi faltaven els passatges en grec, propis de la compilació feta a Bizanci, i que no foren incorporats a Occident fins al segle XIII. També hi havia d'altres diferències textuals, algunes mancances entre les versions i fins i tot certes modificacions puntuals en el contingut entre la versió bolonyesa i la justinianea.

Però potser més rellevants que l'estructura diferent i les diferències en el text són els continguts de la compilació. A Bolonya van afegir algunes constitucions d'emperadors medievals al Codi de Justinià, i també van afegir encara més constitucions medievals, anomenades «Extravagants», al *Volumen* (o *Volumen Parvum* o *Authenticum*). I finalment, també al segle XIII, al mateix *Volumen* es van afegir els *Libri Feudorum* —que eren un recull de dret consuetudinari feudal de la Llombardia, la darrera redacció del qual fou feta cap al 1250—. Aquesta estructura bolonyesa en cinc llibres i amb aquest contingut especificat —amb les descrites particularitats feudals i imperials medievals— és la que es va perpetuar aleshores i va ser difosa i utilitzada per tot Occident fins al segle XIX, amb les revolucions burgeses.

L'escola d'Irneri, dita dels glossadors, només va prestar atenció al dret romà, ja que per a ells l'únic dret que mereixia la seva consideració era el dret creat per l'emperador. Però altres juristes, també a Bolonya, van prestar atenció al dret canònic; eren els decretistes. Com a institució, l'Església havia generat les seves pròpies regles, el seu propi dret. Regulava el seu funcionament i el dels seus membres, i a poc a poc també va començar a regular les matèries considerades sagrades. Però, pel context en què aquest dret canònic havia sorgit, era considerat un dret singular, ja que en certa manera s'incorporava dins de l'ordenament romà. Amb la desaparició de l'imperi a la part occidental i l'expansió del feudalisme, van imposar-se les tendències centrífugues en tots els àmbits de decisió, tal com hem dit, i això també acabà afectant l'Església. Fins al pontificat de Gregori VII, al segle XI, el dret canònic era generat dins de l'àmbit de l'Església de cada regne —les dites esglésies «nacionals»—. Aquest papa inicià una tendència centralitzadora pel que fa a la creació del dret dins de l'Església, però aquest dret canònic, a més, pretenia ser universal (per a tota l'Església), complet (amb aspiració a resoldre tots els àmbits de la vida), tècnic i sistemàtic.

Sense poder entrar ara en els detalls d'aquesta història eclesiàstica, assenyalarem les obres jurídiques que van acabar configurant el corpus del dret canònic. La primera d'elles fou una obra feta per la iniciativa privada d'un monjo anomenat Gracià, i que ha estat coneguda com el Decret de Gracià (vers el 1140). La seva obra va ser magna, atès que va compilar i va concordar una part molt substancial de la tradició canònica fins al seu temps. Després de la base establerta per Gracià, l'impuls del dret canònic va venir donat per les decretals que dictaren els pontífexs —la decretal papal és, dins de l'àmbit eclesiàstic, l'equivalent a la llei dictada per l'emperador—. El primer gran recull de decretals —el *Liber Extra* o Decretals de Gregori IX— va ser elaborat pel jurista català Ramon de Penyafort l'any 1234 per encàrrec del papa Gregori IX. A aquesta compilació en van seguir dues més: el *Liber Sextus*, realitzat per Bonifaci VIII el 1298, i el *Liber Septimus* o *Clementinae*, promulgat per Joan XXII el 1317. Aquestes quatre obres, juntament amb dues compilacions privades menors amb decretals no recollides anteriorment, van ser publicades unitàriament per Johannes Chappuis al començament del segle XVI. L'*editio romana* del 1582 fixava definitivament el text de la compilació del dret de l'Església.

Com que la compilació del dret romà-justinianeu —amb els afegits indicats— va ser batejada pels mateixos juristes bolonyesos amb el nom de *Corpus Iuris*, la canònica va ser dita *Corpus Iuris Canonici*. Aquesta denominació va provocar que finalment es parlés del *Corpus Iuris Civilis*, d'una banda, i del canònic, de l'altra.

Les relacions entre el dret romà-justinianeu i el dret canònic són un altre tema apassionant de la història jurídica medieval. Com ha assenyalat Aquilino Iglesia,

> [...] els canonistes havien de recórrer al dret romà per poder assolir la perfecció i la tecnificació que pretenien; havien de recórrer al dret romà per encunyar el seu instrumental conceptual propi, i els glossadors no podien romandre indiferents davant d'aquesta renovació. El dret romà justinianeu apareix en aquests moments cristal·litzat en la compilació i incapaç de desenvolupar-se; el dret canònic —sorgit dins de la tradició romana— està molt més atent a les noves necessitats, ja que és un dret en plena formació.

Els canonistes són els arquitectes que dissenyen els nous edificis jurídics que utilitzen el dret romà com a material de construcció d'excel·lent qualitat.

L'ENSENYAMENT A BOLONYA: GLOSSADORS I COMENTARISTES

L'arribada, en les condicions descrites, dels textos jurídics a Bolonya només mostra una part del procés. El mètode escolàstic utilitzat pels professors bolonyesos, que girava essencialment al voltant de la lliçó oral, va generar un important material escrit que acabà sent més significatiu del que en un primer moment podien suposar els seus autors.

Durant els primers anys, quan ensenyava el mestre Pepo, la lliçó oral va adquirir un protagonisme absolut. En una segona etapa, ja amb Irneri, van prendre relleu les glosses marginals sobre els textos jurídics; però eren glosses que expressaven els mètodes i els continguts de la lliçó oral. Durant molts anys, fins ben entrat el segle XIII, les glosses, vinculades a l'oralitat de l'ensenyament del dret, van ser el vehicle únic per a l'aproximació als textos jurídics. Parlem del mètode de la glossa com a instrument tècnic, però, de fet, hi hagué tipus diferents de glosses, tants com parts tenia la lliçó oral. Certament, l'esquema de la lliçó oral —o sigui, l'aproximació didàctica a l'ensenyament del dret— va determinar les glosses i els seus tipus. Hi havia glosses que volien facilitar la comprensió del text i estaven vinculades, per exemple, a la introducció al títol, o al contingut bàsic de cada llei; d'altres, en canvi, eren més elaborades i implicaven manipular —en el sentit de manejar— els textos, com el cas de les glosses que reunien paral·lels i contraris i cercaven solucionar contradiccions. També hi havia les glosses que reelaboraven els principis jurídics identificats, singulars i generalitzables; i encara hi havia les que formulaven distincions o particularitats. La lliçó acabava amb una *disputatio*, en què els estudiants havien de resoldre un cas pràctic.

Els juristes que han alimentat les successives generacions de mestres bolonyesos es coneixen amb el nom de glossadors perquè, com hem dit, el seu instrument de treball —d'aproximació al dret i també d'ensenyament— era la glossa. Aquesta tècnica, iniciada, segons sembla, per Irneri, va transcendir els seus deixebles i també fou utilitzada pels decretistes i pels decretalistes —els juristes que es dedicaren al decret i a les decretals papals del dret canònic—. La glossa, per tant, és intrínseca a Bolonya. Amb el temps, els diferents tipus de glosses es van anar independitzant i van donar lloc a gèneres literaris diferenciats; és allò que qualifiquem de literatura jurídica: les *summulae*, els *tractatus*, els *commenta*, les *dissensiones domino-rum*, les *distinctiones*, etc.

Al llarg del segle XIII, la tècnica i la tasca dels glossadors, tant civilistes com canonistes, van arribar al seu límit. Després de diverses generacions de glossadors, va arribar un moment en què les glosses ja no podien aportar res de nou. Els glossadors sempre havien mantingut una actitud gairebé reverencial respecte dels textos jurídics. I per això la seva feina era més explicativa que realment interpretativa. La seva funció va ser decisiva per comprendre a fons els textos legals, per detectar-ne les contradiccions, per elaborar-ne els principis jurídics, etc., però aquesta actitud reverencial no els permetia anar més enllà del text ni interpretar-lo creativament. És en aquest sentit que diem que la glossa va arribar al seu límit al segle XIII, perquè ja no aportava res de nou al que havien dit i escrit glossadors anteriors. El moment culminant de la glossa el representa el jurista Accursi, amb la *Magna Glossa* o glossa ordinària, on recull les glosses anteriors, a més de les seves pròpies glosses als textos romans. Així com la glossa d'Accursi es va convertir en la glossa ordinària o de referència pel que fa als textos que integraven el *Corpus Iuris Civilis*, el mateix va succeir amb els textos canònics.

Exhaurida la glossa, la renovació metodològica va venir de l'escola d'Orleans, a l'origen de la qual trobem els juristes francesos Jacques de Révigny i Pierre de Belleperche. A Orleans ja no miraven els textos legals com a textos sagrats que no podien ser alterats, sinó que els consideraven un autèntic tresor jurídic que havia de ser interpretat i, doncs, adaptat a les noves necessitats de la societat d'aquell temps. Per això van anar més enllà de la lletra de la llei i van desenvolupar el dret a partir dels seus comentaris. Aquests juristes van rebre el nom de comentaristes o postglossadors. Per bé que aquest nou mètode havia començat a França, a Orleans, aviat el centre de gravetat es va desplaçar de nou a terres itàliques —per això qualifiquem aquests juristes de seguidors de l'escola o l'estil del *mos italicus* davant del *mos gallicus*—, on trobaríem els noms de Cino da Pistoia, Bàrtolo de Sassoferrato i Baldo degli Ubaldi entre els civilistes, i Giovanni Andrea i Niccolò Tedeschi entre els canonistes.

Arribats a aquest punt, cal recordar el que assenyalàvem més amunt, i ho farem amb unes paraules de Bartolomé Clavero:

Existe para ellos —para la época, de cuyas ideas generales se hacen eco— un *utrumque ius* compuesto por un *ius canonicum* que representa «el espíritu» de todo el derecho y un *ius civile* que aporta «el cuerpo del mismo»; ambos se complementan y mutuamente se prestan autoridad y sacralidad, los fundamentos últimos de su fuerza vinculante; uno y otro derecho —*utrumque ius*— resultan para la época inseparables entre sí. «Derecho canónico» y «derecho civil», «derecho eclesiástico» y «derecho romano»: estos dos elementos concurren realmente a la formación de un derecho culto que, frente a los derechos menos elaborados de procedencia altomedieval, se desenvuelve y se expande a lo ancho de Europa —incluidos los territorios de la península Ibérica— desde el siglo XII. Aunque desde este primer momento no siempre se conciben ni se presentan de una misma manera las relaciones respectivas entre ambos elementos, y aún se darán sobre ello teorías y situaciones contrapuestas, puede decirse que esta confluencia de un «derecho canónico» y de un «derecho romano» es la circunstancia que mejor caracteriza en términos generales al orden jurídico que, de alguna forma (ya veremos cómo), van a compartir los diversos territorios de la cristiandad romana u occidental en esta época, y aún (como también veremos) en la siguiente. Lo cual, por otra parte, constituye uno de los hechos culturales y sociales más importantes en la historia de la Europa bajomedieval y moderna.

En aquest apartat només ens resta assenyalar que el conglomerat format pel *Corpus Iuris Civilis* bolonyès —i, doncs, amb el dret feudal inclòs— i el *Corpus Iuris Canonici* va constituir el que fou qualificat de *ius commune* durant la baixa edat mitjana i tot l'antic règim, amb el benentès que el *ius commune* l'integren els textos legals, romans i canònics, inseparables de l'*apparatus* de glosses i tota la literatura jurídica que aquests textos van generar —aquells gèneres literaris derivats de les glosses i també tota la producció dels comentaristes o postglossadors—. Tot, i no només els textos legals, és el *ius commune*, perquè tot formava una massa inseparable i indestriable.

LA RECEPCIÓ DEL «IUS COMMUNE»

Avui, jugant amb les paraules, diríem que el model educatiu bolonyès va tenir molt d'èxit; tant, que molt aviat va ser literalment copiat arreu del continent. Al segle XIII hi hagué una veritable peregrinació d'estudiants de tot Europa cap a Bolonya, tant clergues com seculars. Prim Bertran ha exhumat els documents i ha estudiat la presència catalana a Bolonya en aquell segle. Després de Bolonya, van adoptar el mateix patró Montpeller, Lleida, Palència, Salamanca, etc.: consistia a estudiar el *Corpus Iuris Civilis* o el canònic a partir dels textos glossats i tota la literatura dels comentaristes.

Aquest *ius commune* format essencialment a Bolonya va ser objecte de recepció i d'acceptació a tot Europa. Efectivament, en un primer moment es tractava d'un moviment educatiu, intel·lectual, cultural, fins i tot científic. En una segona fase, com després explicarem, aquest dret escolàstic també es va convertir gradualment en un dret aplicable. El fenomen de la recepció consistia, com explicita el terme, a rebre un dret considerat comú per a tots els pobles occidentals. Però el mateix concepte de «comú» ja implica el seu contrari o, més ben dit, en aquest cas, el seu complementari: els drets propis.

Certament, l'arribada —o l'acceptació o la recepció— d'aquest dret comú no va actuar sobre uns terrenys verges. Quan es produí la recepció, a cada país hi havia uns drets propis que podríem identificar amb fonts de creació també diferents. A Catalunya, igual que a Castella, hi havia el *Liber*, que representava l'herència visigoda i altomedieval; els Usatges, com a dret feudal propi del comtat de Barcelona; els drets particulars municipals i senyorials, creats, essencialment per via consuetudinària, encara que no exclusivament, en cada centre de convivència; hi hagué, a partir del segle XIII, el dret creat per les Corts, i també hi hagué, naturalment, el dret creat unilateralment pel rei (o comte de Barcelona). Aquests eren els drets propis que, combinats amb el nou *ius commune* que es va començar a rebre als segles XII i XIII, configuraren els ordenaments jurídics de cada regne a la baixa edat mitjana i l'època moderna. A cadascun dels regnes medievals peninsulars i europeus hi devia haver els mateixos elements integrants. La diferència, però, va raure en la proporció o la intensitat de cadascun dels elements. A Catalunya tingué un pes especial el dret creat a les Corts entre el rei i els estaments, mentre que a Castella, en canvi, fou rellevant el dret creat directament pel rei. Però també hi va haver diferències en la manera de combinar els drets propis amb el dret comú, com veurem tot seguit.

Com es va produir la recepció? Per a un historiador no ha de ser difícil endevinar-ho. La manera més directa la van protagonitzar els estudiants catalans a què ens hem referit. En acabar els estudis a Bolonya, van obtenir la *licentia docendi* i, quan van tornar a Catalunya, es van convertir en centres difusors del nou dret —de la nova cultura, hauríem de començar a dir—. Aquests graduats recents en dret civil o en dret canònic —o en ambdós, el conegut *utrumque ius*, l'un i l'altre dret— es convertiren en professors dels nous estudis generals, com el de Lleida, o participaren en les cúries o consells assessors de reis, bisbes, comtes, consells municipals, batlles i veguers, etc. La recepció també va venir de la mà de professors estrangers, sobretot italians, que s'establiren, amb els llibres jurídics, al nostre país. De fet, l'arribada dels llibres jurídics —els cinc volums glossats del *Corpus Iuris Civilis* i els equivalents del dret canònic—, amb els centres de còpia que van néixer pel territori, també va ser un element clau en el fenomen de la recepció. A Catalunya va tenir una influència especial l'arribada de llibres amb vocació de pràctica jurídica, i no tant acadèmica, del Migdia francès, i igual d'important va ser l'arribada d'altres llibres pràctics —manuals notarials, formularis processals— evidentment vinculats a la nova cultura jurídica que s'obria pas pertot arreu.

De forma gradual el *ius commune* va anar-se difonent, rebent, imposant i aplicant sobretot a causa de la seva superioritat tècnica. Com hem dit en referir-nos als orígens de l'escola de Bolonya, la nova societat baixmedieval que s'obria camí, que transitava del feudalisme al capitalisme, amb una burgesia activa, amb una economia i un comerç en plena expansió, amb un renaixement urbà que desplaçava el centre de gravetat del camp a la ciutat, ja no en tenia prou amb el dret altomedieval, consuetudinari, que a penes donava resposta a les necessitats d'una societat feudal. El dret romà i el dret canònic, degudament adaptats i interpretats pels juristes medievals, eren drets tècnics, precisos, sistemàtics, que s'emmotllaven infinitament millor a la nova societat que no pas els antics drets consuetudinaris, simples, rígids, feudals, casuístics.

LES RESISTÈNCIES AL DRET COMÚ I ELS INTERESSOS POLÍTICS EN JOC

Però l'evident superioritat tècnica del *ius commune* no és un motiu suficient per explicar l'èxit de la recepció. La difusió del dret comú va generar importants —i en molts casos raonables— resistències. És un fenomen del qual la literatura medieval ha deixat exemples antològics, com el de Joanot Martorell (*Tirant lo Blanc*, cap. 41) o el de Francesc Eiximenis (*Regiment de la cosa pública*, cap. 28). Si la recepció no va incidir sobre un terreny jurídic verge, tampoc no ho féu en un àmbit social, econòmic i cultural neutre. La noblesa i la pagesia s'oposaren a la recepció per motius diferents. Els primers perquè el dret romà feia entrar en crisi la noció de fidelitat i feia prevaler la relació de naturalesa; en el dret romà no existia el pacte de vassallatge ni el vincle de fidelitat personal, i en canvi tots els *cives* estaven sotmesos de la mateixa manera a l'emperador, per naturalesa. A més, la justícia «pública», segons la matriu romana, feia minvar el nombre de recursos a l'administració de justícia «privada» per part dels nobles en un context feudal. Els pagesos, al seu torn, s'oposaven al nou dret perquè no l'entenien; a diferència dels costums altomedievals que es transmetien per tradició oral, el dret romà estava escrit en llatí i era per a ells formalment i materialment incomprensible. I això, a més que el procés romano-canònic dilatava la duració dels plets, requeria el concurs d'un jurista format en el *ius commune*, i, en fi, tot plegat encaria econòmicament i substancialment el cost de la justícia. Per contra, a més dels juristes per raons evidents, també la burgesia era partidària del nou dret: perquè s'adeia amb els seus interessos i la seva activitat econòmica i comercial, i, en un altre domini, perquè el dret romà sintonitzava millor amb la gestió de la cosa pública, municipal i supramunicipal, que estava en mans de la burgesia emergent.

El joc d'interessos polítics més flagrant no estava, malgrat tot, en el camp de la burgesia, sinó en el dels reis i emperadors. És fàcilment comprensible que els emperadors medievals occidentals tinguessin inclinació pel dret comú, concretament pel dret romà-justinianeu: justificava i legitimava la seva posició tant davant dels pontífexs com també davant de la noblesa. Les atribucions dels emperadors romans a què al·ludeix el *Corpus Iuris* eren molt més consistents que les que posseïen els emperadors germànics, debilitats per totes bandes, davant de l'Església i també davant dels feudals. Amb aquest panorama, el dret romà oferia un model de fortalesa i de plenitud política i jurídica. Però, a diferència de l'emperador germànic, què passava amb els monarques medievals? La situació no era pas la mateixa. D'una banda perquè el dret romà, quan es referia al príncep, al *Dominus* o a l'emperador, no pensava en els titulars dels *regna* medievals, com és evident. D'entrada, doncs, per als reis medievals el dret romà només reforçava l'emperador germànic i indirectament, per tant, els debilitava a ells. Els mateixos juristes, aquest cop al servei del rei de França, van aconseguir capgirar la situació. El 1202 el papa Innocenci III dictava la decretal «Per Venerabilem», que responia a una qüestió plantejada pel senyor de Montpeller, que reclamava al papa el reconeixement d'un fill natural. El papa li contestava que això —reconèixer un fill natural— li corresponia de fer al rei de França, amb l'argument que «el rei que en el temporal no reconeix superior és com l'emperador al seu regne». D'aquesta apreciació particular oferta pel papa, els juristes francesos en van derivar unes conclusions polítiques enormes. Com que el rei de França no reconeixia cap superior en l'àmbit del temporal, podia actuar com l'emperador al seu regne de França i, doncs, totes les potestats que el *Corpus Iuris* predicava de l'emperador també eren atribuïbles al rei. A Catalunya la situació encara era més especial, i per dos motius: d'una banda perquè el comte de Barcelona, abans de la unió amb Aragó, i per molta teoria del Principat que continguessin els Usatges, no era rei, sinó comte; i de l'altra perquè la pròpia tradició jurídica, la del *Liber* —hereu, al seu torn, de la tradició romana teodosiana o occidental—, ja establia que només el rei creava el dret, que només ell el podia interpretar, que només el monarca podia omplir llacunes legals, etc.

No obstant tot el que acabem d'assenyalar, convé no confondre l'aspiració, el desig i la reivindicació del poder regi —i la potestat legislativa en el que ens interessa— amb la situació històrica real en cada cas, amb un mosaic de poders i un joc de forces específic: feudals, Església, viles i ciutats, Corts i Diputació del General. Per molta recepció que hi hagués al segle XIII, els estaments catalans havien aconseguit neutralitzar i paralitzar les pretensions polítiques dels comtes-reis, com bé es va mostrar amb els acords de la Cort de Barcelona del 1283 amb Pere II.

Ens hem referit a les resistències dels sectors socials a la recepció del *ius commune* i també als sectors que s'hi mostraven favorables o proclius. Per acabar d'entendre correctament aquest crucial moment històric, encara convé tenir en compte un altre factor. El *ius commune* de la recepció —especialment el dret romà— col·lidia amb la concepció altomedieval del dret, que era vigent en aquest trànsit a la baixa edat mitjana. Pervivia la creença que tot el dret era diví, antic i bo, que no hi havia creació del dret, sinó descobriment o identificació del dret. El dret, segons aquesta concepció altomedieval, procedia de dalt cap a baix, de Déu als homes. Per contra, el dret romà era clarament un dret creat pels homes, i no només s'hi trobaven reflexos de l'antiga *maiestas* que havia pertangut al poble romà, sinó que la potestat creadora del dret de l'emperador era abassegadora. En la tradició romana el dret venia de sota. A més, la tradició cristiana havia confós dret i justícia en un sol i únic paràmetre, mentre que la tradició romana —encara ressonen les paraules d'Ulpià: «Justícia és la voluntat constant i perpètua de donar a cadascú el seu dret»— diferenciava dret de justícia. ¿Com es podien encaixar, per tant, ambdues tradicions? Una vegada més els juristes bolonyesos van harmonitzar allò que semblava no diferent, sinó contrari. Simplificant extraordinàriament un discurs més subtil, van venir a dir que la justícia, efectivament, era divina i ho abraçava tot —tot estava sotmès a la justícia (divina, cristiana)—; en canvi, van considerar que el dret pertanyia als homes i que no tot estava reduït al dret. Els homes havien de beure de l'equitat rude per constituir un dret que li restava vinculat. Amb aquestes apreciacions el dret romà encaixava amb la tradició altomedieval, i també—cosa que era igual d'important— amb el paper reservat a l'Església i al dret canònic.

«IUS COMMUNE» I DRETS PROPIS

Superades les resistències socials i culturals, conciliada la tradició cristiana medieval i vençuda l'oposició política, finalment calia encaixar i harmonitzar el *ius commune* amb els drets propis de cada regne. Fins ara hem donat a entendre que el *ius commune* es va anar difonent i consolidant a cada regne, com a dret aplicable, de manera gradual i imposant-se pel seu propi pes. Aquesta situació de facto en què es trobaven molts regnes, en els quals el dret comú havia estat efectivament rebut i formava part de la vida jurídica diària, havia de rebre una confirmació oficial. L'adequació del *ius commune* a cada regne va adoptar estratègies o solucions diferents per a cada cas.

A Castella, per exemple, al segle XIII el dret romà i el dret canònic penetren i impregnen les *Siete Parti-*

das, d'Alfons X, que era el principal element del dret propi castellà. Aquesta opció va quedar segellada a l'Ordenamiento de Alcalá del 1348 i a les Leyes de Toro del 1505, però no va evitar que s'hagués de resoldre igualment el recurs a la literatura jurídica del *ius commune* justament per interpretar les *Partidas*. A Catalunya, en canvi, durant el període de la recepció, el *ius commune* va adoptar la forma d'un ordenament subsidiari al qual es podia recórrer al costat del dret propi i quan aquest no contenia solucions als problemes jurídics suscitats.

Aquest no és el moment per explicar la recepció del *ius commune* a Catalunya; per això n'hi haurà prou d'assenyalar-ne les fites més importants, sense entrar en més detalls i remetent el lector interessat a l'abundant bibliografia.

Tot i que la melodia de fons dels Usatges (compilats vers l'any 1170) respecte de la potestat normativa del comte de Barcelona, allí significativament qualificat de príncep, evoca la del *ius commune* que es començava a difondre per Occident, l'instrumental jurídic que invocaven els Usatges era el *Liber iudiciorum*. Fins als costums de Lleida del 1228 no s'assenyala que, després de recórrer al dret particular, als Usatges i al *Liber*, a Lleida es recorre a les lleis romanes. A partir d'aleshores tots els textos municipals reconeixen i evidencien el recurs irreversible al dret de la recepció amb caràcter subsidiari, quan el dret propi els és insuficient. La decisió de Jaume I a les Corts de Barcelona el 1251, prohibint el recurs al *Liber* i a les lleis romanes i canòniques, és complexa i subtil, però mostra que, efectivament, hi havia resistències importants a la recepció i a tot el que implicava. Jaume I va haver d'acceptar el criteri dels estaments probablement contra la seva pròpia voluntat. Malgrat aquesta decisió contrària al dret de la recepció, durant el regnat del mateix Jaume I el *ius commune* es va estendre pels seus dominis, de manera que afectava i impregnava els Fueros de Aragón, els Furs de València i els Costums de Tortosa, entre altres textos.

Per tant, malgrat la decisió del 1251, a la pràctica el dret de la recepció avançava i es consolidava a Catalunya. De fet, és suficient consultar els documents emanats de la cancelleria reial per observar com els conceptes jurídics romans s'havien convertit en el nou paradigma jurídic. I tant és així —que la recepció avançava—, que, més enllà dels ordres de prelació municipals que així ho reflectien —Tortosa, 1279; Horta, 1298; Miravet, 1319—, les mateixes Corts de Cervera del 1359 disposaven:

> [...] que negu Savi en dret en las Ciutats, Vilas, ne encara en altres insignes locs no puxa advocar, ne Offici de Jutge, o de Assessor regir, si tots los sinc Libres ordinaris de dret Civil no ha, o almenys los Libres ordinaris de dret canonic: E que aquells almenys haja oit per sinc anys en studi General, de la qual cosa per sagrament sie tengut fer fe.

Per tant, per regir un ofici del món jurídic era indispensable haver estat format en dret romà o dret canònic, *utrumque ius*. La sanció o el reconeixement oficial definitiu respecte de l'aplicació del *ius commune* a Catalunya no va arribar fins a un capítol de cort aprovat per Martí I l'Humà a la Cort de Barcelona del 1409. El text indicava que els seus oficials, en administrar justícia, havien d'actuar «segons Vsatges de Barcelona, e Constitutions, e Capitols de Cort de Cathalunya, Vsos, Costums, Privilegis, Immunitats, e Libertats de quiscuna conditio, e de les Vniversitats, e dels singulars de aquellas, dret comú, equitat, e bona raho».

Una de les evidències més clares del paper que havia adquirit el dret comú en la vida jurídica catalana la trobem en una constitució de la reina Maria en la Cort de Barcelona del 1422, quan s'assenyalava que:

[...] assats es cosa ridiculosa als juristas qui volen exercir Offici de judicatura, o de advocatio en Cathalunya, e no poc damnosa als litigants, ignorar las leys de la terra, per ço statuim, ordenam, volem, e manam, que quiscun jurista qui volra vsar dels dits Officis de judicatura, e de advocatio en lo Principat de Cathalunya, anys que sien admesos en aquells, o en algu de aquells, hajan, e sien tenguts haver sens frau algu los vsatges de Barcelona, Constitutions, e Capitols de Cort de Cathalunya, segons, las quals, ans de tots altres drets ha esser jutjat dins lo dit Principal [...].

La insistència que calia recórrer a les lleis de la terra —els drets propis a què hem al·ludit— abans que a qualsevol altre dret evidencia justament que la situació real era la contrària. I és que al segle xv, i molt probablement ja al xiv, el *ius commune* s'havia convertit, a Catalunya, en l'ordenament jurídic a què es recorria de manera ordinària en la pràctica jurídica en tots els àmbits. El dret propi català, i molt especialment les «constitucions i els altres drets de Catalunya» —closos en les successives compilacions catalanes—, serien com les excepcions o les singularitats a allò que és ordinari, contemplat en els textos i la doctrina del *ius commune*. No és casual, en aquest sentit, que les mateixes compilacions catalanes adoptessin la sistemàtica del Codi de Justinià per classificar les constitucions i els altres drets que contenien.

L'últim episodi d'aquesta seqüència que volíem invocar és la constitució de Felip II aprovada a les Corts de Barcelona del 1599. Es tracta d'un autèntic i definitiu ordre de prelació de fonts en sentit tècnic, i separa el dret principal —que s'identifica amb el dret propi— i el dret supletori —que identifica, ara amb precisió, amb el dret canònic i el dret civil romà-justinianeu—. La constitució disposa:

[...] que los Doctors del real consell hajan de decidir, y votar les causes ques portaran en la real Audientia conforme, y segons la dispositio dels vsatges, Constitutions, y Capitols de Cort, y altres drets del present Principat y Comtats de Rossello y Cerdanya, y en los casos que dits vsatges, Constitutions, y altres drets faltaran, hajan de decidir les dites causes segons la disposicio del dret canonic, y aquell faltant del ciuil, y doctrines de Doctors, y que no les pugan decidir ni declarar per equitat, sino que sia regulada, y conforme a les regles del dret comu, y que aportan los Doctors sobre materia de equitat.

Certament hi ha matisos i elements diferents entre el 1409 i el 1599, en els quals ara no entrarem. La transcendència històrica de la constitució del 1599 es deu al fet que va ser el punt de referència —pel que respecta a la fixació del dret supletori— que es va utilitzar després del Decret de Nova Planta del 1715. Quan el 1716 es va consultar a Felip V quin dret supletori calia aplicar a Catalunya després del Decret, si el supletori de Castella o el supletori que s'hagués emprat històricament a Catalunya, el rei va resoldre que fos el dret supletori que ja s'hi aplicava. I d'aquesta manera va seguir vigent, amb caràcter supletori, el dret que havia estat disposat el 1599, o sigui, per aquest ordre, el dret canònic i el dret civil o romà-justinianeu.

Conclusions

Per anar acabant i a manera de conclusions, volem referir-nos a la transcendència històrica que va tenir la recepció del *ius commune* per a Europa. Ho diem en el sentit que es va produir un canvi d'un gran abast espacial, temporal i material. Així com el fenomen i el seu abast són ben coneguts entre els historiadors del dret, sembla que no són prou valorats entre els medievalistes, sens dubte a causa de la manca de diàleg a què abans ens hem referit.

Els documents comtals dels segles xi i xii es refereixen, per exemple, a «omnes homines Cervarie». A partir de cert moment, però, cap a la primera part del segle xiii, documents semblants de la mateixa procedència fan servir expressions com «universitas ville Cervarie». Van substituir «omnes homines» per «universitas». O sigui, aparentment hi va haver un progrés en la conceptualització d'una realitat històrica. Certament, com hem assenyalat en alguna altra ocasió,

[...] *universitas* era la particular manera que els juristes medievals tenien d'anomenar no els singulars d'una vila o ciutat, sinó la unitat i l'abstracció —necessàriament fictícia— que d'ells en derivava. El fet no té res d'arbitrari: que els textos medievals —privilegis reials sobretot— es refereixin a una comunitat humana amb expressions semblants a «omnes homines» o bé amb una expressió com «universitas ville Cervarie», la diferència és gran, especialment per tota la cultura jurídica que s'amaga darrere d'aquesta última denominació. Probablement no és tan simple com pensar que una comunitat humana no organitzada unitàriament —«omnes homines»— esdevé «universitas» per obra i gràcia de la ciència jurídica. Podríem dir que en aquest cas la relació entre dret —ens referim al *nou dret* procedent de Bolonya— i realitat és dialèctica. Quan els juristes observen la realitat s'adonen que la vida en comunitat als segles XII i XIII exigeix la formació d'una voluntat comuna i, al mateix temps, cerquen fórmules per possibilitar aquesta expressió comuna dels membres del col·lectiu, fenomen que, a causa de la seva formació científica, tendien a identificar o qualificar amb el vocabulari jurídic que trobaven en els textos romans. Fent-ho així la tendència s'invertia, i injectaven contingut jurídic de procedència romano-justinianea i canònica a allò que havia germinat de manera més o menys natural, com a resultat de les condicions econòmiques, socials i culturals d'un moment històric determinat. Cal, aleshores, prestar atenció a totes dues tendències, la que emana de la realitat i és percebuda pel jurista, i la del jurista que, intentant *comprendre* el món des de l'òptica del *ius commune*, impulsa la nova ordenació de la societat a partir dels nous paràmetres. El jurista, doncs, no crea la realitat, però ordenant els elements que la integren pot arribar a modificar-la.

Bartolomé Clavero ha mostrat amb claredat, en la seva celebrada monografia *Derecho común* (1979), les premisses socials, econòmiques i culturals del *ius commune*. Explica com el *ius commune* va «fundar un orden donde puedan integrarse tanto el mercado como el poder político sin subvertirse las instituciones señoriales anteriores, sin revolucionar el orden social precedente».

La «dilatada, aparatosa y conflictiva» història del *ius commune*, construït en els orígens per l'escola de Bolonya, difós i rebut per tot Europa amb el fenomen de la recepció i convertit, per obra i gràcia de la ciència jurídica, en l'ordenament jurídic de l'antic règim, va desaparèixer amb la revolució liberal del segle XIX. La codificació burgesa va suposar un canvi tan radical i important com ho va ser el *ius commune* a l'edat mitjana. Com deia Pierre Vilar, no hi ha sistemes socials químicament purs: en el feudalisme trobem traces d'esclavisme, en el capitalisme de feudalisme, i així successivament. I una altra vegada, amb la codificació, igual que en el moment en què naixia el *ius commune*, reforma i ruptura, continuïtat i discontinuïtat, es donen la mà per mostrar-nos l'aclaparadora complexitat amb què s'enfronta l'historiador, del dret o de tot.

THE DISCOVERY OF ROMAN LAW
IN THE MEDIEVAL WEST

The present text is the elaboration of a lecture given at the University of Barcelona in October 2010 during the inauguration of the academic year of the Master's Degree in Medieval Cultures. The text is aimed at any interested reader, nevertheless it is especially suitable for professionals of history, philosophy, language, literature, economy, art and the rest of the disciplines devoted to the medieval world, graduate humanities students and also undergraduate law students. The author is intellectually indebted to professor Aquilino Iglesia, since many of the ideas in the following pages are based on his work.

The lack of communication between legal historians and the ill-named "general historians", medievalists in this case, is a fact commonly accepted; as if, in the end, we were not all historians. I believe in a "total history", a history fragmented only to be better studied. Those fragments of history, which should have been simply functional on their own, have almost become subhistories that materialize in closed compartments within the academic world. Yet Berenguer Ripoll, who lived in Cervera in 1332, was no stranger to economy, art or culture. We have artificially divided the complex whole of society, and that partition has led to completely independent lives. We cannot aim to understand medieval society just from the perspective of isolated and fragmentary approaches. We need to gather all the information available in order to make sense of that society. It may seem that we can understand medieval law, philosophy or art separately, but we require it all to understand it depth. We need only consider 21st century human beings. Does anyone think we can understand our current society from a single point of view? Is it not obvious that we need to understand economy, law, culture, history, institutions, and thought, etc., in order to get closer to the "truth"? I am not suggesting that every professional should deal with all disciplines turning research into a hotchpotch. I just want to stress that we need to read each other's works, talk about them and even conduct research together —just as the IRCVM encourages us to do.

The fact is that a humanities student —history, philosophy, art history or language, etc.— will graduate or even get his/her MA, without the slightest knowledge of the law of the time in which s/he is an alleged expert. I am not advocating an "in-depth" knowledge of law —e.g. knowing how a dowry was agreed upon in the year 1000—, but an understanding of the minimal notions of the role played by law in each historical period, who held the legislative authority and how, and how the concept of law evolved over time.

The topic I chose for the opening lecture of the academic year 2010-11 of the Master's Degree in Medieval Cultures was the discovery of Roman Justinian law in the West during the 11th century and its dissemination throughout Europe —together with canon law and the works of Bolognese jurists—, under the name of *ius commune*. I chose it due to several reasons. First, it is a clear example of what Pierre Vilar noted: in history, causes and consequences combine, interfere and nurture one another. Any particular phenomenon, such as the Bolognese discovery to which we will later refer, is the result of a series of causal factors. But the outcome and the consequences of such factors immediately become the causal factors of several new historical phenomena. It is pure dialectical materialism and it is indeed essential to bear it in mind in order to understand the complexity of historical societies. The rediscovery of Roman law can only be understood in that precise historical context. Therefore, dogmatic approaches to the history of Roman law in the Middle Ages are no longer valid. In fact, if our goal is to understand what happened, how and why it happened, only historical approaches are of use. Equally relevant is the real impact this historical episode had on the societies involved. And that was in fact my second reason for choosing this particular topic. The shaping of the *ius commune* and its reception across Europe were much more than a strictly juridical phenomenon; they entailed a true cultural change whose shockwave affected all sectors of medieval society. As I have just mentioned, the fact that such a topic is not taught in the faculties of history, and that it has barely touched medieval history textbooks, here as well as in the "European common house", puzzles me. Please understand that I am not blaming historians —and if I did, legal historians would be just as guilty. On the contrary, those to blame for the current artificial isolation would rather be an academicistic deviation and an old-fashioned university system.

THE WESTERN ROMAN LEGAL TRADITION

In order to understand the impact of the medieval *ius commune* and better appreciate its importance, it may be useful to go back a few centuries and briefly overview the shaping of the Roman legal tradition and the historical context —economic, social and cultural— in which that *ius commune* was born.

During the time of the Roman Dominate —or Empire— the Empire was divided into two parts. At first, that division and its subsequent administrative counterpart could be understood as a sort of decentralization. But the creation of the new eastern capital, Constantinople —in 330 by Emperor Constantine—, as a new Rome, evinced and emphasized the existence of major differences between both parts. The division of the Empire had always rested on the basis that the whole Empire was ruled under a single law, fictitious as that notion was from a certain moment onwards.

The legal system of the Dominate, which was the result of a historical process that had already started by the end of the Principate, had been levelled down into two major components. On the one hand, the *leges* expressed the will of the emperor, essentially by means of different types of imperial constitutions. The *leges* in force ended up compiled in the Theodosian Code. The Code, composed on the initiative of Theodosius II, Eastern Roman Emperor, mostly contained the general constitutions issued since 312. It was published in the

Eastern Empire in 438, and was afterwards adopted by Valentinian III in the Western Empire. The Theodosian Code officially validated two hitherto private compilations, the Gregorian Code and the Hermogenian Code, respectively named after the jurists who undertook each compilation of rescripts, that is, another kind of imperial constitutions. Thus, whereas the Code of Theodosius contained general pronouncements, the codes of Gregorius and Hermogenian comprised the replies of emperors to private petitioners. Therefore, with the exception of the constitutions enacted after 438 —the post-Theodosian Novels—, all the *leges* were included in the three aforementioned codes.

On the other hand, in addition to the *leges*, the second component of the Roman legal system was the set of the so-called *iura*. Unlike the *leges*, which were issued by the emperor, the *iura* were the writings of jurists who reworded or rewrote the classical tradition. To put it another way, the *iura* were classical legal tradition —specifically Roman republican law— reworded by the jurists of the Principate. In any case, at the time of the Dominate, the *iura* were legal literature containing the major principles of classical law. The *iura* had not been the object of any official compilation, but were included in private collections. The multitude of authors posed a practical problem: were they all valid? Did all the *iura* have the same official value? An imperial constitution enacted by Valentinian III in 429, known as the "law of citations" or "tribunal of the dead", solved the problem establishing which *iura* were deemed irrevocable and in which situations. It was not a compilation but an imperial consitution stating the criteria of validity and application.

Therefore, at the end of the 5th century, when the Western Empire fell, the legal system consisted of *leges* and *iura*, and the legal texts containing them were the Theodosian Code, the Gregorian Code, the Hermogenian Code and the several compilations of *iura* in circulation at the time. This was the applicable law, together with the imperial constitutions issued daily by the emperors on both sides of the Empire.

THE AUTONOMOUS DEVELOPMENT OF ROMAN LEGAL TRADITION BY THE VISIGOTHS

Since 476 and the fall of the Western Empire, the course of Roman law —the Roman juridical inheritance (intangible, so to say) as well as the textual tradition (law and its specific texts)— bifurcates, and the two resulting branches gradually distance from each other. On the one hand, we find the Roman imperial continuity of Byzantium, and on the other, the historical and legal evolution of the western territories —Rome's ancestral home—, which is our main concern.

Actually, the expression "autonomous development of Roman legal tradition in the Iberian Peninsula during the Visigothic kingdom", that we borrow from Aquilino Iglesia Ferreirós, clearly illustrates the orientation of the period.

The Visigoths ended up founding their kingdom in the territory of old Hispania. Up until 506, they kept their domains in the region of Aquitania, but after their defeat at the battle of Vouillé against the Franks, the Visigothic kingdom moved its capital to Toledo, without abandoning its domains in Septimania. The Visigoths were a strongly Romanized people because they had lived in contact with the Romanized population of Dacia first, since the 3rd century, and later with the population of Thracia and Moesia, until they settled in the region of *Aquitania Secunda* by virtue of the 418 *foedus*. Alaric II, king of the Visigoths, commissioned around 506 the compilation of the Roman law that his people deemed useful and valid. That work, which is indeed part of the Roman textual tradition, given that it essentially contains Roman law, was known as the *Lex Romana Wisigothorum* or Breviary of Alaric. It was a compilation of the Roman law of the Dominate. Among the *leges*, it included a wide selection of imperial constitutions from the Theodosian Code and several rescripts from the Gregorian and Hermogenian Codes; among the *iura*, we find only one of Papinian's responses, a selection of the sentences of Paulus, an epitome of the Institutes of Gaius and nothing from Ulpian or Modestinus. Therefore, the Breviary of Alaric drastically reduced the number of *iura*. In fact, the compilers ignored the law they did not understand or need, and the *iura* were, precisely, the most technical, complex and rich component of Roman law. On the contrary, the constitutions, especially those from the Dominate, were poorer regarding legal technique and doctrine. This selection of *leges* and *iura* was accompanied in most cases by an *interpretatio* that helped understand Roman legal texts, thus adapting Roman law to the needs of the time. The Breviary of Alaric was indeed Roman law —compiled by a Visigothic king, but Roman law nonetheless— and coexisted with the Visigothic law that the monarchs kept issuing —Romanized or, in any case, in tune with Roman tradition.

The crystallized official Roman law and the practical law newly enacted by kings coexisted in the Visigothic kingdom until 654, when Recceswinth sanctioned a new work, the *Liber iudiciorum*. The *Liber* ended the dichotomy. Since its entry into force, only the law it contained and the law the Visigothic kings would promulgate in the future were applicable. The *Liber* is the most clear example of the "autonomous development of the Roman legal inheritance received by the Visigoths", a statement that conveys a whole legal-historical thesis. It is now appropriate to focus for a moment on this work since it was used in Catalonia for many centuries. The *Liber* is Visigothic law —because it was created by the Visigothic monarch—, but it is also part of the Roman legal tradition (although it does not belong to the Roman textual tradition, because it is not actual Roman law, neither nominally nor textually, and does not even contain passages from it); the *Liber* carries Roman law in its "genes" and belongs to the family of Roman law. For-mally, Recceswinth compiled the laws from the Bre-viary of Alaric itself and from previous compilations of other Visigothic monarchs, such as the Code of Euric and the *Codex Revisus*, but he also added new laws he had enacted and others enacted by his father, King Chindasuinth. The *Liber* forbade the recourse to Ro-man legal texts, that is, to the Breviary of Alaric, but was itself pervaded with Roman tradition. By the end of the Visigothic period, the process of pre-feudalization the society was undergoing fostered the divorce be-tween legislation —contained in the *Liber*— and prac-tical law, which reflected the new usages and customs of that new society. In any case, the *Liber iudiciorum* was the legal monument bequeathed by the Visigothic kingdom to the Peninsula of the Early Middle Ages.

The Survival of the Visigothic "Liber" and Medieval Political Augustinianism

When the Muslims invaded the Iberian Peninsula in 711, putting an end to the Visigothic kingdom of To-ledo, the *Liber* survived embedded in the behaviour of early medieval Peninsular Christians. For them it was not only a book of laws, but also the law par excellence; they were not even aware that their usual legal practices were the living example of a "regulation at work". The Muslim conception of law facilitated this survival, since for Muslims, law and religion were, and still are, not inseparable aspects, but one and the same thing. Hence, by respecting the religious beliefs of monotheist Christians, they automatically granted the survival of their law.

The early medieval continuity of the *Liber* took place, nevertheless, under special circumstances: the *Liber* lived on, as we have just mentioned, in the behaviour of people, but moreover, the *Liber*, was the law par excellence within a society convinced that there was no "creation" of law, but only the discovery of some ancient law that had been temporarily hidden due to ill use and abuses. The early medieval conception of law deemed it divine, old and good; and the *Liber*, which had been sanctioned in the Visigothic period by the councils of Toledo, and afterwards sacralized in the collective memory of the inhabitants of the new Christian kingdoms, matched the early medieval parameters of law. Local, seigniorial and municipal laws, special and specific to each settlement, were born next to the *Liber* —or the "custom" *Liber*—, the general and common law of early medieval Peninsular Christians. Amidst the feudal context, the kings, often indistinguishable from members of the high nobility, were unable to create a general royal law for the whole kingdom.

Under Charlemagne's rule, medieval political thought —political Augustinianism—, which is difficult to tell apart from juridical thought during this period, had evolved to a point where the goals of the political society and the goals of the Church were the same. Several centuries before that, when the Roman Empire still existed and represented an all-pervading reality, Augustine of Hippo (4th century) had asserted that the only actual world was the supernatural world, and that the earthly or temporal world was subject to it. Later on, Pope Gelasius stated that there were two powers in the world, the pontiff, invested with *auctoritas*, and the emperor, invested with *potestas*; however, those two powers were not symmetric or equivalent, since the Pope, unlike the emperor, was directly responsible to God. Along the same lines, Isidore of Seville explained the ministerial character of royal power, since he understood that the power exercised by monarchs was not political in nature, but divine; their function was indeed to lead men towards Good and far from Evil, and kings, fulfilling that duty, were mere ministers of God, His instruments and not servants of any other desire. The bitterness of the investiture controversy between Pope Gregory VII and the Germanic Emperor, Henry IV, in the 11th century, should not conceal the existing agreement regarding the divine origin of law and the subjection of the earthly world to the supernatural one.

If we now turn to another aspect of medieval society, no one is better placed than medievalists to explain how and why the political power was shattered and the political society was atomized. The centre of gravity was no longer the kingdom but the immediate territory: hamlets, villages and towns. The creation of law, beyond the early medieval conception based on the belief in a divine law, mirrored this atomized society.

Given that early medieval law was mostly customary law, we could ask what was left of the old Roman law, which was, on the contrary, a technical, written, complex law, with a substantial legal basis. The answer would be: almost nothing. If the *Liber* was once the final Visigothic echo of Roman law, it had been gradually deteriorating —not in a moral sense, but rather "genetically"— or increasingly departing from its original Roman epicentre. It is hardly surprising, though. The society and its law were not the same any more: from slavery to feudalism, from a pagan society to the *Res publica Christiana*, from an urban and cosmopolitan society to a closed and rural one.

Thus, the restoration of the Roman Empire that Charlemagne undertook had no effect on law, at least not on the old Roman law. Nevertheless, it had an impact on the scholastic world, which gives us the opportunity to refer to the teaching of law during the Early Middle Ages.

ROMAN LAW AND THE STUDY OF LAW DURING THE EARLY MIDDLE AGES

I shall not elaborate any further on the *trivium*, the *quadrivium*, philosophy or theology; I would only like to point out that, after the fall of Rome, there were no legal schools or an autonomous study of law in the West. Basic notions of law were taught as a part of the *trivium*, some as a part of rhetoric, some within logic and dialectics. But, what kind of law? Customary law, specific to each region, is not to be considered since its intrinsic nature makes it a non-systematized law, barely suitable for study. The only law susceptible to be studied at the time was Roman law. But, once again, which Roman law? Early medieval Roman law is the law contained in the Breviary of Alaric —or in the epitomes of the Breviary that circulated throughout Europe. Let us recall that the Breviary was a compilation of Roman Theodosian law, that is, pre-Justinian law, but especially let us not forget that it did not include all the textual Roman tradition of the Dominate —*leges* and *iura*—, but only the selection that best suited the requirements of the time (around the year 506). Furthermore, besides the fact that the number of selected constitutions was limited, very few *iura* made it to the Breviary. In conclusion, the Roman Theodosian law known in the West embodied only a very poor and diminished tradition.

However, during the Early Middle Ages, while the Roman law with more or less Western or Theodosian roots precariously survived, albeit altered, the Eastern Empire was still alive and at its height. Thus, the West could well have learned about the Roman law that was in force in Byzantium —as it actually did.

At this point it is worth introducing another figure, another actor. During the first half of the 4th century, the Byzantine Emperor Justinian undertook a major compilation of the Roman law then in force in the Eastern Empire. It is well known that the compilation of Justinian was sent to Rome in 554, at a time when the southern half of the Italian Peninsula was actually a part of the Byzantine Empire. There is evidence that the Code, the Institutes and the Novels of Justinian circulated in the form of compendia —and not in their original versions— throughout Western Europe. What happened to the Digest, which was the most precious treasure of the Roman law of the time? After a brief allusion in a letter by Pope Gregory the Great in 603, there is no further mention to the Digest until 1076, when a Lombard legal document refers to it.

Therefore, during the Western Early Middle Ages, law was not studied autonomously, and the texts of Roman Justinian law were not known in their original versions. These two shortcomings are the main features of the study of law from 476 until the 11th century, when the school of Bologna was born.

The Bolognese Legal Revival of the 11th Century

There is no need to tell medievalists about the economic and cultural renaissance that took place in Europe around the year 1000. We will instead focus on the discovery, or recovery, of Justinian texts in Bologna between the 11th and the 12th centuries. As we have just mentioned, at some point Justinian texts attracted attention. Almost half a millennium had gone by since Justinian compiled the Digest, the Code, the Institutes and the Novels. Why was it precisely at the end of the 11th century that Western Europe discovered them?

It seems that after the year 1000 there was a favourable "climate" for that discovery to happen. The discovery, or recovery, had a material and an intellectual component: Europe discovered new books and managed to look at them from a different perspective. Several different factors intervened in the creation of that climate. As we will see, it was one of those moments in which law and historical change —social, economic, cultural, etc.— experience a deep and extraordinary symbiosis. Robert S. López brilliantly outlined that "instant", that climate, in *El nacimiento de Europa*

(1965). On the one hand, the general economic reactivation, apparently related to a long period of plentiful harvests and demographic growth, and particularly the commercial reactivation and its consequences —the emergence of the bourgeoisie—, created new legal needs —as, for instance, those derived from the new commercial traffic—, which could not be satisfactorily met by the customary seigniorial law then in force. On the other hand, towns were now able to give birth and support to a group of individuals whose lives were centred on their love for science and their thirst for knowledge, figures with purely scientific interests. Less prosaic were the political factors: in the middle of the investiture controversy between the Pope and the emperor, both sides welcomed new theoretical and legal ammunition. Several legal historians have insisted on the coincidence, which was not at all casual, between the emperor's interest in justifying his position and the rediscovery of a law, Roman law, which treated the emperor as the master of the world —*Dominus*— and the only creator of law. Finally, at that time there was also the conviction that an empire had only one law and, therefore, the old Roman law was the natural inherent law of the Empire, now Holy and Germanic.

These facts almost certainly shaped the new climate that made possible or even caused the Bolognese legal revival. Not so certain are the specific conditions under which the school of Bologna was founded. The legend of the *translatio studii*, recounting how the school of Bologna was heir to that of Ravenna, which, in turn, received the baton from Rome, came down to us —including several plausible elements— through Odofredus. Thus, it seems that the intention was to pass on the idea that the school of Bologna ultimately descended from the Roman imperial school.

In any case, the key factor was the arrival in Bologna of the legal books that Justinian had compiled in the 4th century. Those books, however, did not all arrive at the same time or even intact, but, as Odofredus noted in the 13th century, turned up literally in pieces and at different times.

Pepo and Irnerius dispute the honour of being the first to study those texts on their own initiative. It seems that Pepo did it first, but he left no written proof, whereas Irnerius was the author of the first gloss on Justinian texts, which built up his reputation. Pepo and Irnerius personify a movement of self-taught masters who spontaneously started to teach and study the new texts, attracting students from all over Europe.

The School of Bologna: Roman Law, Feudal Law and Canon Law

The specificity of the "School of Bologna", which explains its overwhelming success, has two main features: law was studied and explained by itself —law and only law—, and that was done on the basis of the original (Justinian) texts, instead of epitomes and extracts, as had been the case up until then. However, there were several differences between the compilation made by Justinian in Byzantium in the 4th century, and the compilation that arrived in Bologna between the 11th and the 12th centuries. First, its structure was different. Justinian commissioned four works (the Code, the Digest, the Institutes and the Novels), whereas the compilation of Bologna consisted of five books: the old Digest —the first piece of the Digest that reached Bologna—, the new Digest —the part that arrived later—, the *Infortiatum* —a small quire from the central part of the Digest that arrived separately—, the Code —only the first nine books instead of the original twelve— and, finally, a fifth book composed in Bologna and entitled *Volumen*, or *Volumen Parvum*, or *Volumen Authenticum*, which, acting as a sort of hotchpotch, contained the Institutes, the three last books of the Code, the Novels, the *Libri Feudorum* and the *Extravagantes*, to which we will come back later.

Besides the structure of the compilation, the text was also different. Suffice it to say that the textual tradition of the Digest, which has actually been reconstructed, is rich and complex. The medieval Digest —the *littera bononiensis* or *vulgata*—, lacked the Greek passages, characteristic of the compilation made in Byzantium, which were not incorporated in the West until the 13th century. The Bolognese and Justinian versions also present other textual differences, several discrepancies and even some minor modifications of the content.

However, the content of the compilation itself is probably more relevant than the fact that there are structural differences and textual divergences. Several constitutions issued by medieval emperors were added to the Code of Justinian in Bologna, and still further medieval constitutions were included under the title "Extravagantes" in the *Volumen* (or *Volumen Parvum* or *Authenticum*). Finally, the *Libri Feudorum* —a compilation of Lombard feudal customary law whose last composition was undertaken around 1250—, were added to the *Volumen* also in the 13th century. The Bolognese five-book structure and its aforementioned content —including its feudal and medieval imperial particularities— was perpetuated, disseminated and used throughout the West up until the 19th century and the bourgeois revolutions.

The school of Irnerius, also known as the School of Glossators, concentrated only on Roman law, since for them the only law deserving consideration was the one issued by the emperor. But other jurists, also in Bologna, devoted themselves to canon law; they were known as decretists. The Church as an institution had developed its own rules, its own law. It regulated its activity and that of its members, and soon enough began regulating all the matters held sacred. But due to the context in which that law appeared, it was considered exceptional, for it was, in a way, subsumed under the Roman legal system. As we mentioned above, with the fall of the Western Empire and the expansion of feudalism, centrifugal tendencies prevailed in every sphere of decision, and the Church was no exception. It was not until the pontificate of Gregory VII, in the 9th century, that canon law stopped being formulated within the Church of each kingdom —the so-called "national" churches. Gregory set up a centralized structure for the creation of law within the Church, and, moreover, he did it with a view to making canon law universal (for the whole Church), complete (it aspired to be applicable to every aspect of life), technical and systematic.

Without going into the details of ecclesiastical history, we will now point out the legal works that ended up shaping the corpus of canon law. The first one, which has come to be known as the Decree of Gratian, was composed on the personal initiative of a monk called Gratian (around 1140). His was a huge work since he compiled and collated a substantial part of the canonical legal tradition of his time. On the basis Gratian established, the impetus to canon law was provided by the decretals issued by the pontiffs —in the ecclesiastical domain, the papal decretal is equivalent to the statute enacted by the emperor. The first major compilation of decretals —the *Liber Extra* or the Decretals of Gregory IX— was commissioned by

Gregory IX himself and composed by the Catalan jurist Ramon de Penyafort in 1234. Two others followed: the *Liber Sextus* by Boniface VIII in 1298, and the *Liber Septimus* or *Clementinae*, issued by John XXII in 1317. At the beginning of the 14th century, Johannes Chappuis published as a whole these four works and two minor private compilations, including hitherto unpublished decretals. The 1582 *editio romana* definitively established the text for the compilation of the law of the Church.

Given that Bolognese jurists themselves had dubbed the compilation of Roman Justinian law —with the aforementioned additions— *Corpus Iuris*, the canon law compilation was then called *Corpus Iuris Canonici*. In consequence, the first ended up being known as *Corpus Iuris Civilis* whereas the latter was known as the canonical corpus.

The relationships between Roman Justinian law and canon law are another fascinating topic of medieval legal history. As Aquilino Iglesia remarked:

> [...] canonists had to resort to Roman law in order to achieve the perfect and technical law they pursued; they had to resort to Roman law in order to make their

own conceptual tools, and the glossators could not remain idle in the light of such a regeneration. At the time, Roman Justinian law seemed to be crystallized in the compilation and incapable of further development; canon law —born within Roman tradition— was much more attentive to the new requirements, since it was a law in full development.

Canonists were the architects that designed the new legal buildings, using Roman law as a high quality construction material.

LEARNING IN BOLOGNA: GLOSSATORS AND COMMENTATORS

The arrival of the legal texts in Bologna, under the conditions previously described, only accounts for a part of the process. The scholastic method used by the Bolognese masters, essentially centred around the oral lesson, generated a remarkable amount of written materials that ended up being much more significant than their authors could have expected.

During the early years, when Master Pepo was in office, the oral lesson took on a special prominence.

In a second stage, with Irnerius now in office, the marginal glosses on legal texts gained relevance; yet those glosses ultimately expressed the methods and the contents of the oral lesson. For many years, until well into the 13th century, the glosses, related to the oral teaching of law, were the only vehicle to approach legal texts. Although we talk about glosses as a technical instrument, there were actually several kinds of glosses, as many as the parts of the oral lesson. In fact, the structure of the oral lesson, that is, the didactic approach to the teaching of law, conditioned the glosses themselves and their various kinds. Some of them were aimed at facilitating comprehension of the text, and related, for example, to the introduction to the title, or to the basic content of each law; others were, on the contrary, more elaborate, and involved manipulating the texts —that is, handling them—, such as the glosses that compiled parallels and contraries, and tried to solve contradictions. There were also glosses that reworded identified juridical principles, both specific and general; and there were still others that formulated distinctions or particularities. The lesson ended with a *disputatio*, in which the students had to solve a practical case.

The jurists that joined the successive generations of Bolognese masters are known as glossators, because, as we previously stated, their working tool —in order to both approach and teach law— was the gloss. That technique, apparently initiated by Irnerius, went beyond the lecture halls and was also used by decretists and decretalists —the jurists respectively devoted to the Decree of Gratian and the papal decretals of canon law. The gloss is therefore intrinsic to Bologna. Over time, the different kinds of glosses became independent and gave birth to distinct literary genres; this is what we call juridical literature: the *summulae*, *tractatus*, *commenta*, *dissensiones dominorum*, *distinctiones*, etc.

During the 13th century, the technique and the task of glossators, whether civil or canon lawyers, reached their limit. After several generations of glossators, glosses came to a point in which they could not contribute anything new. Glossators had always kept an almost reverential stance regarding juridical texts. Hence their work was explicative rather than interpretative. Their task was decisive for the deep understanding of legal texts, the detection of contradictions, the elaboration of their juridical principles, etc., but that reverential stance did not allow them to go beyond the text or to interpret it creatively. It is in this sense that we claim the gloss reached its limit in the 13th century, because it did not contribute anything new to what previous glossators had said and written. The jurist Accursius and his *Magna Glossa* or ordinary gloss, where he compiled previous glosses on Roman texts as well as his own, embody the climax of the gloss. Just as Accursius's gloss became the standard or reference redaction of the glosses on the texts integrating the *Corpus Iuris Civilis*, something similar happened with canonical texts.

Once the gloss was exhausted, the methodological regeneration came from the school of Orleans, at whose origin we find the French jurists Jacques de Révigny and Pierre de Belleperche. In Orleans, legal texts were not looked upon as holy texts that could not be altered, but were rather considered as a juridical treasure that needed interpretation and, therefore, adaptation to the new needs of the society of the time. Thus, they went beyond the letter of the law, and developed law on the basis of their own commentaries. Those jurists were called commentators or post-glossators. Although the new method started in France, in Orleans, the centre of gravity soon shifted again to Italian territory —that is why we define those jurists as followers of the school or the style of the *mos italicus* instead of the *mos gallicus*—, where we find the names of Cino da Pistoia, Bàrtolo de Sassoferrato and Baldo degli Ubaldi among civil lawyers, and Giovanni Andrea and Niccolò Tedeschi among canonists.

At this point, we must recall what we previously noted, and we will do so in the words of Bartolomé Clavero:

> There was for them —and their time, whose general ideas they mirrored— an *utrumque ius* composed of a *ius canonicum* embodying "the spirit" of law and a *ius civile* that provided "its body"; both complemented each other and provided one another authority and sacredness, the ultimate foundations of their binding force; both laws —*utrumque ius*— were inseparable at that time. "Canon law" and "civil law", "ecclesiastical law" and "Roman law": both elements actually converged in the shaping of a learned law which, in the presence of less elaborate laws of early medieval origin, developed and expanded across Europe —including the territories of the Iberian Peninsula— since the 12th century. Although at the beginning, the respective relationships between the two elements were not always conceived nor presented in the same way, and conflicting theories and stances on this will

continue to be put forward, it can be said that the convergence of "canon law" and "Roman law" is what in general best characterizes the juridical system that the different territories of Roman or Western Christendom, of that period and the next one, will to some extent share (as we will discuss later), despite the various ways in which the relationships between them are defined or formulated —and the contrasting scenarios and further theorizations on the subject; a fact that, on the other hand, constitutes one of the most important cultural and social events in the history of late medieval and modern Europe.

I would like to finish this section by pointing out that the conglomerate of the Bolognese *Corpus Iuris Civilis* —which included feudal law— and the *Corpus Iuris Canonici* formed what was defined as the *ius commune* during the Late Middle Ages and the whole *Ancien Régime*; a *ius commune* that comprised Roman and canonical legal texts, their inseparable *apparatus* of glosses, and the juridical literature they generated —the literary genres derived from glosses as well as the production of commentators and post-glossators. All of these works, and not only the legal texts, composed the *ius commune*, since they were all an indivisible and indistinguishable whole.

The Reception of the "ius commune"

Toying with the words, we would nowadays say that the "Bologna model" was very successful; so successful that it was soon literally imitated throughout the continent. In the 13th century, there was a true pilgrimage of students from all over Europe to Bologna, both clerics and laymen. Prim Bertran has uncovered the documents and studied the Catalan presence in Bologna during that century. After Bologna, cities like Montpellier, Lleida, Palencia, Salamanca, etc., adopted the same model: studying the *Corpus Iuris Civilis*, or its canonical counterpart, on the basis of the glossed texts and the commentators' works.

This *ius commune*, essentially shaped in Bologna, was received and accepted across Europe. Actually, in its early days it was an educational, intellectual, cultural and even scientific movement. In a second phase though, as we will later discuss, that scholastic law gradually became an applicable law. The phenomenon of reception consisted, as the term suggests, in receiving a kind of law that was common to all Western peoples. But the concept "common" itself implied at the same time the opposite idea, or rather the complementary idea in this case: local laws.

The arrival —acceptance or reception— of that common law did not actually take place on virgin territory. At the moment of reception, each country had its own law, each of them with their own different sources. In Catalonia, as well as in Castile, we find the *Liber*, which embodied the Visigothic and early medieval inheritance; the *Usatges*,[1] as the feudal law specific to the county of Barcelona; the local municipal and seigniorial laws of each centre of population, essentially customary, albeit not exclusively; from the 13th century onwards we also find the law issued jointly by the king and the estates during the *Corts*;[2] and, of

[1] The *Usatges* (Catalan for "usages") were the customs that formed the basis for the fundamental laws, charters and basic rights of medieval Catalonia. They were a collection of feudal practice, peace and truce statutes, and excerpts from Roman and Visigothic law codes that became the source from which all other Catalan laws flowed. Analogously, the *Furs* of Aragon and Valencia were the collections of regulations that, altogether, constituted, respectively, the fundamental laws of the kingdoms of Aragon and Valencia (Translator's Note).

[2] The *Corts* (Courts) were the legislative body of the Crown of Aragon from the thirteenth to the eighteenth century. The Courts were summoned by the king and held legislative power. They were

course, there was also the law that the king (or count of Barcelona) issued on his own. Those were the local laws, which, combined with the new *ius commune,* whose reception started around the 12th and 13th centuries, configured the juridical system of each kingdom during the Late Middle Ages and the Modern Era. The same elements can be found in each medieval Peninsular and European kingdom. The differences between them lay in the proportion and the strength of each element. In Catalonia, the law issued jointly by the king and the estates during the *Corts,* was particularly important, whereas in Castile, the law unilaterally passed by the monarch was the most relevant. But, as we will see next, there were also differences in the way in which local laws were combined with the common law.

How did the reception work? Any historian would easily guess how. Those who played the leading role and more directly contributed to it were the previously mentioned Catalan students. Once they finished their studies in Bologna, they obtained the *licentia docendi*

---

formed by the military, the ecclesiastical and the royal estate (T.N.).

and, upon their return to their homeland, became promoters of the new law —the new culture, we should say. Those recent graduates in civil or canon law —or both, the well-known *utrumque ius*, that is, one law and the other— became masters at the new *studia generalia*, such as that of Lleida, or were involved in the curiae or the advisory councils of kings, bishops, counts, municipal councils, bailiffs and *veguers*,[3] etc. Foreign masters, especially Italian masters, who settled in Catalonia with their legal books, also fostered the reception. Actually, the arrival of the legal texts —the five glossed volumes of the *Corpus Iuris Civilis* and their canon law equivalents—, and the scriptoria that appeared across the territory were also a key element in the phenomenon of reception. In Catalonia, relevance was given to the books coming from the French Midi that were focused on legal prac-

---

3 The *veguer* was the head of the *vegueria,* the feudal administrative territorial jurisdiction of Catalonia. The *veguer* was appointed by his lord —first the count and later on the king—, and was accountable to him. The *veguer* was the military commander of his *vegueria*, the chief justice, and the man in charge of the public finances of the region entrusted to him. As time wore on, the functions of the *veguer* became more and more judicial in nature (T.N.).

tice rather than on academic interest. Equally important was the arrival of other practical books —notarial handbooks, procedural formularies— obviously related to the new juridical culture that was gaining ground everywhere.

Gradually, the *ius commune* was disseminated, received, imposed and applied, especially due to its technical superiority. As we noted apropos of the origins of the school of Bologna, the early medieval customary law, which could barely meet the needs of a feudal society, was not enough for the new late medieval society moving from feudalism into capitalism, with an active bourgeoisie, an economy and commerce in full expansion, and an urban revival shifting the centre of gravity from the country to the city. Roman law and canon law, suitably adapted and interpreted by medieval jurists, were technical laws, precise and systematic, which served the new society infinitely better than the old customary, simple, rigid, feudal and case-dependent laws.

THE RESISTANCE TO COMMON LAW
AND THE POLITICAL INTERESTS IN PLAY

The evident technical superiority of the *ius commune* was not enough to justify the success of its reception. The dissemination of the common law met with important —and often reasonable— resistance. That phenomenon has provided medieval literature with memorable examples, such as Joanot Martorell (*Tirant lo Blanc*, chap. 41) or Francesc Eiximenis (*Regiment de la cosa pública*, chap. 28). If the reception, as we previously mentioned, did not happen on virgin juridical territory, neither did it find a socially, economically and culturally neutral milieu. Nobility and peasantry alike opposed its reception for different reasons. For the nobles, Roman law precipitated the crisis of the notion of fidelity, substituting it with a natural hierarchy; vassalage did not exist in Roman law, neither did personal fidelity bonds; instead, all *cives* were equally, by nature, subject to the emperor. Moreover, "public" justice, according to the Roman matrix, diminished the number of appeals to the "private" administration of justice, in the hands of noblemen in the feudal context. Peasants, in turn, opposed the new law because they did not understand it; unlike early medieval customs, which were orally passed on, Roman law was written in Latin, hence it was formally and materially incomprehensible to them. Furthermore, the Roman-canonical procedure increased the length of the suits and required the involvement of a jurist trained in the *ius commune*, all of which ended up substantially increasing the economic cost of justice. On the other hand, and besides the jurists, who supported it for obvious reasons, the bourgeoisie was also in favour of the new law: it suited their interests and their economic and commercial activity and, in another respect, Roman law was more in tune with the management of public municipal and supramunicipal matters, which were in the hands of the emerging bourgeoisie.

However, the most flagrant play of political interests did not involve the bourgeoisie, but the kings and emperors. It is easy to understand that Western medieval emperors were inclined towards the common law, specifically Roman Justinian law: it justified and legitimized their position before pontiffs and the nobility. The powers granted to Roman emperors in the *Corpus Iuris* were much more substantial than those possessed by Germanic emperors, undermined by the Church and the feudal lords. Under the circumstances, Roman law offered a model of strength, and political and juridical plenitude. What was the situation of medieval monarchs compared to that of the Germanic Emperor? Quite different, indeed. On the one hand because, evidently, the Roman law, when referring to the prince, the *Dominus* or the emperor, did not have in mind the incumbents of the medieval *regna*. Thus, for a start, Roman law only enforced the Germanic Emperor, therefore indirectly weakening the position of medieval kings. But the jurists themselves, in this case at the behest of the king of France, turned the situation upside down. In 1202, Pope Innocent III issued the decretal *Per Venerabilem*, answering a question brought up by the lord of Montpellier who demanded the recognition of a natural son. The Pope answered that the recognition of a natural son concerned the king of France, arguing that «the king, who in temporal matters does not recognize any superior authority, is in his domain as the emperor in his». French jurists derived major political conclusions from this particular papal assessment. Given that the king of France would not recognize any superior authority with regard to temporal matters, he could act as an emperor in his kingdom of France; therefore, all the powers the *Corpus Iuris* attributed to the emperor could also be attributed to the king. In Catalonia, the situation was still more unusual for two reasons: first, the count of Barcelona, before the union with Aragon, and despite the theory of the Principality contained in the *Usatges*, was not a king, but a count; second, the legal tradition, the tradition of the *Liber* —which inherited, in turn, the Roman Theodosian or Western tradition—, already established that law could only be issued by the king, who was the only one entitled to interpret law, to fill up legal voids, etc.

All of the above notwithstanding, we should not mistake the aspirations, wishes and claims of the royal power —and its legislative authority— with each real historical situation, which involved a specific kaleidoscope of powers and interplay of forces: feudal powers, the Church, villages and towns, the *Corts* and the *Diputació del General*.[4] Despite the successful recep-

---

4 The *Diputació del General* was initially a temporary commission entrusted with the collection of the taxes established during the *Corts*. Once the taxes had been collected, the commission was dissolved. From the 14th century onwards though, the ever-increasing

tion of the 13th century, the Catalan estates had managed to neutralize and paralyse the political pretensions of the count-kings, as shown by the agreements reached during the 1283 *Corts* held in Barcelona under the rule of Pere II.

We have already talked about the resistance of several social sectors to the reception of the *ius commune*, and also about the sectors in favour of the new law. However, in order to fully understand this crucial historical moment, it is necessary to consider yet another factor. The *ius commune* —especially Roman law— collided with the early medieval conception of law, still in force in the transition from the High to the Late Middle Ages. The belief that all the law was divine, old and good and that there was no creation of law but only discovery or identification, still survived. Law, according to this early medieval conception, proceeded from top to bottom, from God to men. Roman law, on the other hand, was clearly created by men,

---

war expenses prompted the creation of a permanent *Diputació del General* formed by representatives of the three estates. This commission was under the authority of the representative of the ecclesiastical estate, who held the office of president of the *Generalitat* (T.N.).

and along with the echoes of the old *maiestas* Roman people had been endowed with, we also find that the capability of the emperor to create law was overwhelming. In Roman tradition, law proceeded from bottom to top. Moreover, Christian tradition had mixed up law and justice in a single concept, whereas Roman tradition —the words of Ulpian still resound: "Justice is the constant and perpetual wish to provide everyone with law"— differentiated law from justice. How could those two traditions fit together? Once again, Bolognese jurists reconciled what seemed not only different, but also contrary. By extraordinarily simplifying a more subtle discourse, they ended up saying that justice was indeed divine and encompassed everything —everything was subject to justice (which was divine and Christian); on the other hand, law belonged to men and not everything was subject to law. Men had to drink from mere equity in order to construct law, which was thereafter bound to that equity. Under these considerations, Roman law fitted in not only with early medieval tradition, but also with the role reserved for the Church and canon law —which was just as important.

The "Ius commune" and the Local Laws

Once the social and cultural resistance was overcome, once the Christian medieval tradition was reconciled and the political opposition subdued, it was finally necessary to fit together and harmonize the *ius commune* and the laws specific to each kingdom. So far, we have suggested that the *ius commune* gradually spread and became the applicable law in every realm in its own right. Still, this de facto situation in many kingdoms, where common law had been effectively received and was a part of everyday juridical life, needed official confirmation. The adaptation of the *ius commune* to each kingdom adopted different strategies and solutions.

In Castile, for example, Roman law and canon law penetrated and pervaded the *Siete Partidas* of Alfonso X, the chief element of Castilian law, in the 13th century. That option was sanctioned in the *Ordenamiento* of Alcalá in 1348, and the *Leyes de Toro* of 1505, but could not prevent the need to resort to the juridical literature of the *ius commune*, precisely in order to interpret the *Partidas*. In Catalonia, on the other hand, during the period of reception, the *ius commune* adopted the form of a subsidiary system that coexisted with the local law, and which might be used in case the latter did not provide solutions to specific legal problems.

Now is not the time to expound on the reception of the *ius commune* in Catalonia; it will suffice to point out its most important features, without going into further detail, and refer the interested reader to the abundant bibliography.

Although the bottom-line message of the *Usatges* (compiled around 1170) regarding the legislative power of the count of Barcelona —significantly called "prince"— resembles that of the *ius commune,* which was then spreading throughout the West, the legal tool invoked by the *Usatges* was the *Liber iudiciorum.* It was not until the *Costums* of Lleida in 1228, that we find that Roman laws could be applied once the local laws, the *Usatges* and the *Liber,* had proved unsuitable. From that moment on, all municipal texts acknowledge and evince the irreversible recourse to the received law as an alternative when their own local law was not sufficient. The decision of Jaume I during the *Corts* held in Barcelona in 1251, forbidding recourse to the *Liber* and to Roman and canon law, is complex and subtle, but serves also as a "smoking gun" of the important resistance to the reception and everything it implied. Jaume I had to accept the criterion of the estates, probably against his own wishes. Despite that, during his reign, the *ius commune* spread throughout his dominions, so that it affected and pervaded the *Fueros* of Aragon, the *Furs* of Valencia and the *Costums* of Tortosa, among others.

Therefore, in practice, regardless of the decision taken in 1251, the received law made headway and became established in Catalonia. It is enough to search the documents issued by the royal chancery to observe how Roman legal concepts had become the new legal paradigm. So much so that, besides the municipal orders of precedence that reflect it —Tortosa, 1279; Horta, 1298; Miravet, 1319—, the *Corts* held in Cervera in 1359 established that:

> [...] no legal expert can plead or act as a judge or a councillor in the cities, villages or other distinguished places unless he has the five ordinary books of civil law, or at least the ordinary books of canon law, and has studied for at least five years in the general study, all of which must be attested to.

Thus, in order to hold an office in the legal world it was indispensable to have been trained in Roman law or canon law, *utrumque ius*. The sanction or official recognition to the application of the *ius commune* in Catalonia only arrived with a *capítol de cort*[5] passed by King Martí I the Humane during the *Corts* of Barcelona in 1409. The text indicated that his officers had to administer justice "according to the *Vsatges* of Barcelona, and the Constitutions, and the *Capítols de Cort* of Catalonia, Usages, Customs, Privileges, Immunities and Liberties of all kinds, and the Universities, and their particulars, common law, equity and good reason".

A constitution issued by Queen Maria during the *Corts* of Barcelona in 1422, is among the clearest evidence of the role the common law had achieved in Catalan juridical life. It stated that:

[...] it is also ludicrous, and detrimental to the litigants, that the jurists who want to hold the office of

5 During the *Corts*, the three estates, with the support of the king, were in charge of legislation. In case the laws approved came from the king they were called "constitutions", if, on the other hand, they came from the estates, they were called *capítols de cort* (court chapters) (T.N.).

judge or advocate in Catalonia, ignore the laws of the land; therefore we sanction, order, desire and command, that any jurist who wishes to hold the aforesaid offices of judge or advocate in the Principality of Catalonia, must have as an indispensable requirement, before being admitted in both or any of them, the *vsatges* of Barcelona, the Constitutions, and the *capítols de cort* of Catalonia, which must be applied before any other law, and in accordance to which justice must be administered in the aforementioned Principality of Catalonia [...].

The insistence on the need to resort to the laws of the land —the aforementioned local laws— before turning to any other law evinces, precisely, that the actual situation was the opposite. In the 15th century, and probably already in the 14th, the *ius commune* had indeed become the ordinary legal system for legal practice in all fields. Catalan law, and especially the "constitutions and the other laws of Catalonia" —included in the successive Catalan compilations—, were singularities, the exceptions to the ordinary law, which appeared in the texts and the doctrine of the *ius commune*. In this regard, it is not a coincidence that Catalan compilations adopted the system of the Justinian Code in order to classify the constitutions and the other laws they contained.

The last episode we would like to recall is the constitution issued by Felipe II and passed during the *Corts* held in Barcelona in 1599. It is a true and definitive order of precedence among the sources of law, in the technical sense, and it distinguishes between the principal law —identified with the local law— and the supplementary law —identified, this time with precision, with canon law and civil Roman Justinian law. The constitution states that:

> [...] the doctors of the royal council must decide and judge the causes brought before the royal audience according to the *vsatges*, Constitutions, and *capítols de cort*, and the other laws of the Principality and the counties of Rossello and Cerdanya; and in case the aforementioned *vsatges*, Constitutions, and other laws are not sufficient, they must decide the causes according to canon law, and if that is also insufficient, according to civil law and the doctrines of the doctors; and that they cannot decide the causes on the basis of equity, but as the rules of common law, provided by the doctors on the subject of equity, prescribe.

Certainly, there are nuances and different elements between 1409 and 1599, which we will not discuss now. The historical importance of the 1599 constitution lies in the fact that it became the reference point —regarding the establishment of the supplementary law— later used in the *Nova Planta* Decree of 1715. In 1716, when Felipe V was asked whether the supplementary law to be applied in Catalonia after the decree should be the supplementary law of Castile or the supplementary law historically applied in Catalonia, the king resolved in favour of the supplementary law already in force. Therefore, the laws established in 1599, that is, in the following order, canon law and civil or Roman Justinian law, remained in force, albeit with a supplementary character.

Conclusions

In conclusion, we would like to refer to the historical importance the reception of the *ius commune* had in Europe; especially taking into account that it brought about a moment of change and transformation of major spatial, temporal and material scope. If the phenomenon and its reach are well known to legal historians, they have not been sufficiently recognized by medievalists, undoubtedly due to the aforesaid lack of dialogue.

The documents from the county of Barcelona of the 11th and 12th centuries, for example, refer to "omnes homines Cervarie". After a certain point though, around the first half of the 13th century, similar documents with a similar origin use expressions such as "universitas ville Cervarie". "Omnes homines" was substituted with "universitas". It seems, therefore, that there had been an evolution in the conceptualization of a historical reality. Certainly, as we have remarked several other times,

> [...] "universitas" was the particular way in which medieval jurists defined not only the inhabitants of a village or town, but the entity and the abstraction —necessarily fictitious— derived from them. It is not arbitrary at all: the fact that medieval texts —especially royal privileges— refer to a human community with expressions such as "omnes homines" or "universitas ville Cervarie" implies a great difference, especially due to the legal culture behind the latter. The matter is probably not as simple as considering that a human community without a unitary organization —"omnes homines"— becomes "universitas" by virtue of legal science. In this

case, we could say that the relationship between law —the *new law* that came from Bologna— and reality is dialectical. When jurists observed reality, they realized that community life in the 12th and 13th centuries required the development of a common purpose and, at the same time, they started looking for formulas to make possible the common expression of the members of the group. A phenomenon that, due to their scientific training, they tended to identify or define in terms of the legal vocabulary found in Roman texts. The tendency was thus inverted, and they injected legal content of Roman Justinian and canonical origin into what had emerged more or less naturally as a result of the economic, social and cultural conditions of a specific historical moment. It is therefore necessary to pay attention to both tendencies, the one that derives from reality and is thus perceived by the jurist, and that of the jurist himself, who, trying to *understand* the world from the perspective of the *ius commune*, fosters the new structuration of society on the basis of new parameters. Hence the jurist does not create reality, but by ordering its elements can end up modifying it.

Bartolomé Clavero has clearly shown in his celebrated monograph *Derecho común* (1979), the social, economic and cultural bases of the *ius commune*. He explains how the *ius commune* "founded an order into which both market and political power could be properly integrated without subverting the previous seigniorial institutions, without revolutionizing the previous social order".

The "extended, ostentatious and troubled" history of the *ius commune*, constructed in its origins by the school of Bologna, disseminated and received across Europe through the phenomenon of reception, and transformed by virtue of legal science into the legal system of the *Ancien Régime*, disappeared with the liberal revolution of the 19th century. The bourgeois codification brought about a change as radical and important as the *ius commune* had been in the Middle Ages. As Pierre Vilar noted, there are no chemically pure social systems: within feudalism we find traces of slavery, within capitalism we find traces of feudalism, and so on. Once again, during the new codification, as it was during the emergence of the *ius commune,* reform and rupture, continuity and discontinuity, went hand in hand with each other to show us the overwhelming complexity faced by historians, legal and "general" historians alike.

Translation: PangurBàn, SL

Lliçons / Lessons